花千樹

香港地下天文台台長

方志剛 著

天氣
其實
不難懂

增訂版

增訂版序

不知不覺，由我出版第一本氣象書至今已經 16 年，本書是我的第四本書。

感謝花千樹出版有限公司一直以來對我的支持，我們一起走過大部分日子。我的書都不是暢銷書，沒有上過排行榜也未曾獲得獎項，卻成為了長銷書，每隔兩三年就增訂一次，是一種細水長流的感覺。

氣象在香港不是熱門話題，除非出現極端天氣，例如寒潮、暴雨、颱風等，香港人最關心的也不是人身安全，而是有沒有個人利益，例如額外假期。天氣及氣候變化可能被城市人忽略。然而大自然的變幻是人類不能掌握的，暴雨仍然測不準，颱風路徑依然有偏差，假若有日大自然失控，實況都偏離預報時，我們能否繼續生存，可能要靠我們的天氣智慧。

寫作是一種單向的知識分享，而且需要安靜專心的環境才能成事。近年我嘗試走出來接觸公眾，舉辦公開和學生氣象講座，主持 STEM 氣象工作坊，反應都很好，特別是看見小朋友快樂滿足的表情，感到很安慰。無奈今年遇上新冠肺炎疫情，所有計劃都被迫押後，然而網上多場「Zoom」講座和工作坊的反應出乎意料的好，證明有心人還是不少。

氣象知識，總會有一天有用的。

方志剛

2020 年 6 月

序

天氣與人的生活息息相關。面對天氣變化,我們需要作出適應和配合。隨著網上資訊和社交平台的發展,天氣資訊唾手可得,但有時亦真假難分。大部分人選擇相信天文台的預測及決策,但亦有人開始嘗試自行分析及預測。不過假如缺乏基本常識,在一知半解下容易誤解或出錯。

我和花千樹出版有限公司的葉海旋先生相識超過 10 年,他一直支持我推廣天氣科普教育,也希望我能多寫點文章,為下一代作貢獻。奈何我有全職工作在身,也要照顧家庭及處理地下天文台事務,分身乏術,一直未能如願。

不知不覺,我在雅虎香港的氣象專欄撰文已有 5 年。葉先生一直有閱讀我的文章,建議我把部分文章修改及更新,再加入新文章,結集成書。這個過程看似容易,原來也要花接近 1 年才能完成。今天看到本書誕生,實在感到很高興。

今年是《香港天氣常識及觀測》出版 10 週年,書本至今仍然維持銷量,實在要感謝各位讀者長期以來的支持。與《香港天氣常識及觀測》相比,本書比較輕鬆,雖然沒有覆蓋天氣每個環節,但作為科普或消閒讀物也相當不錯。希望各位讀者閱畢本書後,能對天氣有更多了解,在天氣變化來臨前,即使天文台未有發出警告,也可以有所準備。

方志剛
2017 年 6 月

註:本書所有氣溫均以攝氏為單位。

目錄

第一章：
天氣與生活

P10　如何劃分季節？

P12　甚麼是體感溫度？

P14　全球暖化下，香港還有沒有冬季？

P16　反覆無常的天氣

P18　為甚麼新界比市區冷？

P20　「百年一遇」的大雨

P22　為甚麼會下冰雹？

P24　「乾冬濕年」有多準？

P26　雨季與戶外活動

P28　為甚麼天氣預報不準確？

P30　天文大潮

P32　極端天氣的應對策略（上）：預報篇

P34　極端天氣的應對策略（下）：資訊篇

P36　暴雨警告的來由

P38　暴雨預警可行嗎？

P40　天氣警告與天氣觸覺

第二章：
天氣常識

P44　香港一年中最冷的時候

P46　立春之後就不再冷？

P48　日出與月出

P50　天氣與氣候

P52　天空為甚麼是藍色的？

P54　日出與曙暮光

P56　中秋節的月亮是最圓的嗎？

P58　局部地區性驟雨

P60　厄爾尼諾現象

P62　香港有感地震統計

P65　酷熱天氣的指標

P68　香港的冬天感覺比較冷？

P70　乾凍與濕凍

P72　漫談紫外線

P74　冷鋒過境時的天氣變化

P76　倒春寒

P78　霧霾天氣與空氣污染

P80　飛行時遇到氣流怎麼辦？

第三章：
颱風

P84　颱風、颶風與氣旋

P86　颱風如何被命名

P88　「打風不成三日雨」

P90　風球的意義（上）

P92　風球的意義（下）

P94　甚麼是風暴潮？

P96　風球發出的時間可以預測嗎？

P98　「李氏力場」再現？

P100　熱帶氣旋與季風低壓

P102　秋冬季熱帶氣旋對香港的影響
P104　八號風球下飛機可以起飛嗎？
P106　當颱風遇上寒潮
P108　十一月會打風嗎？
P110　追風的危險性
P112　追風注意事項

第四章：
不同天氣系統

P116　霧與煙霞
P119　認識雷暴
P122　甚麼是低壓槽？
P124　甚麼是寒潮？
P126　輻射冷卻
P128　高空擾動
P130　副熱帶高壓
P132　藤原效應
P134　冷鋒南下
P136　東北季候風
P138　暴雨形成的條件
P141　下雪、結冰還是結霜？
P144　漫談結霜
P146　凝結尾跡
P148　為何美加經常出現暴風雪？

第五章：
天氣觀測

P152　雲的觀測
P154　雲的觀測：低雲
P158　雲的觀測：中雲
P162　雲的觀測：高雲
P166　氣象儀器系列（一）：溫度計
P168　氣象儀器系列（二）：濕度計
P171　氣象儀器系列（三）：風速計
P173　氣象儀器系列（四）：雨量計
P175　天氣雷達使用手冊
P178　如何理解雨量？

第六章：
天氣應用與研究

P182　天氣數據的應用
P184　疫情對天氣預報準確性的影響
P186　聯合國颱風委員會
P188　亞洲區內的氣象合作
P190　世界氣象組織南京區域培訓中心
P192　熱帶氣旋名字的更換
P194　哪個國家或地區的熱帶氣旋路徑預報最準確？
P198　影響為本的預報
P200　減災與公眾教育
P202　公民氣象科學的發展
P204　如何參與公民氣象活動

MONDAY　　　26°C

第一章

天氣與生活

如何劃分季節？

　　聯合國教科文組織在 2016 年將中國傳統「二十四節氣」列為「人類非物質文化遺產代表作名錄」。這是中國傳統曆法體系的重要組成部分，在國際氣象界被譽為「中國的第五大發明」。大家對「二十四節氣」並不陌生，都認同它相當應時應景，然而對「立冬」及「入冬」的具體概念，又似乎有點模糊。

　　氣象學意義上的冬天是從 12 月 1 日開始，直至第二年的 2 月 28 日。如此類推，完整的 3、4、5 月就是春季，6、7、8 月就是夏季，9、10、11 月就是秋季。這個分類法的好處，除了容易處理數據來進行年度之間的氣候記錄和預測外，亦方便比較不同國家城市的氣候特徵。

　　天文學意義上的季節則以春分、夏至、秋分及冬至為四個座標，約在 3 月 20 日、6 月 21 日、9 月 22 日及 12 月 21 日。舉例，2020 年 12 月 21 日為冬至日，至 2021 年 3 月 19 日（春分日前一天）之間就是 2020 年天文學的冬天。同樣，從春分日到夏至日前一天就是天文學的春天，如此類推。要留意一點，南半球季節始末日子跟北半球一樣，只不過季節相反而已。

中國內地氣象部門有多一套操作標準：某一地區連續 5 天平均氣溫低於 10 度，頭一天便算是「入冬」。連續 5 天平均氣溫高於 22 度，頭一天便算是「入夏」。介乎兩者之間就是「入春」或「入秋」。對於幅員廣闊的中國來說，採用這個標準有它的實際需要。

古人觀察太陽的位置將太陽周年運動軌跡（又稱黃道）分為 24 等份，每一等份為一個「節氣」，統稱「二十四節氣」。每年從「立春」到「大寒」的每個節氣的正式日期可能相差 1 至 2 天，然而每個節氣有它獨特的意義，周而復始，跟曆法及自然氣候有密切關係。「二十四節氣」雖然起源在黃河流域，它對傳統農業生產和日常生活上的提示，時至今日依然有一定實用價值。

甚麼是體感溫度？

　　天氣寒冷加上大風時，人的感覺比較冷；同樣，天氣酷熱加上潮濕時，人的感覺比較熱。如何制定客觀的量度標準？

　　我們對冷熱的感覺，受氣溫、風速、相對濕度及日照影響。我們體外有一層暖空氣保護，刮大風的時候，風把這層暖空氣吹走，身體便感覺寒冷。冬季美國及加拿大經常刮起大風，因此當局利用氣溫及風速制定「風寒指數」（wind chill index），表示在特定的氣溫及風速下，人體感受的溫度。當風寒指數偏低時，市民應避免外出，以免皮膚被凍傷或出現體溫過低，造成危險。（可參考第二章〈香港的冬天感覺比較冷？〉）

　　香港天文台的氣溫術語中，氣溫在 8 至 12 度稱為「寒冷」，7 度或以下稱為「嚴寒」。當天文台預料市區氣溫跌至 12 度或以下時，便會考慮發出寒冷天氣警告，呼籲市民提高警惕，注意保暖及提防寒冷天氣影響健康。由於新界地區較為空曠，氣溫往往較市區為低，因此市民應留意身處地方的氣溫變化，不要過分依賴警告。

　　到了夏季，在濕度高的日子，由於皮膚上的水分較難蒸發，因此感覺較悶熱。假如氣溫不斷上升，戶外活動時又無法透過休息、喝水、穿著鬆身衣服、減少在陽光下曝曬等方法有效降溫，就有機會出現體溫過高、熱衰竭甚至中暑的現象。有見及此，美國國家氣象局

（National Weather Service）根據氣溫及相對濕度制定「酷熱指數」
（heat index）。當酷熱指數超過40度時，有機會出現熱衰竭；當指
數超過55度時，隨時會出現中暑。（可參考第二章〈酷熱天氣的指
標〉）

　　天文台的氣溫術語中，氣溫在28至32度稱為「炎熱」，33度或
以上稱為「酷熱」。當天文台預料市區氣溫升至33度或以上時，便會
考慮發出酷熱天氣警告。不過新界地區通常較熱，氣溫比市區更早達
到酷熱水平，即使天文台未有發出警告，戶外活動時仍要採取預防措
施。

延伸閱讀

1　風寒指數：https://www.weather.gov/safety/cold-wind-chill-chart
2　酷熱指數：https://www.weather.gov/safety/heat-index

全球暖化下，
香港還有沒有冬季？

　　近年香港秋季相當溫暖，踏入 11 月份新界地區氣溫仍然上升至 32 度以上，跟夏天無異。而香港天文台亦錄得超過 30 度高溫，令人感覺香港的冬季姍姍來遲，甚至懷疑還有沒有冬季。

　　根據美國國家海洋及大氣管理局（National Oceanic and Atmospheric Administration, NOAA）的資料，全球平均氣溫不斷打破紀錄。除了人為因素包括大量燃燒產生二氧化碳外，也跟其他海洋及大氣現象有關，例如厄爾尼諾（El Niño）現象。2015 年的強勁厄爾尼諾現象就引致赤道東太平洋海面溫度上升，令全球平均氣溫升高。

　　回到香港，在全球暖化的背景下，天氣轉涼的時間還是有些規律。

　　根據統計，香港每年最冷的日子在 1 月下旬，而非 11 月或 12 月。而近年即使在 2 月或 3 月亦有機會出現寒冷天氣，冬季有跡象延遲開始及結束。入冬以後，香港氣溫會慢慢下降，我們做了一個統計，比較 2007 至 2016 年入冬後香港天文台的氣溫下降趨勢，發現有 6 年天文台的氣溫在 11 月跌至 15 度或以下，而當中更有 4 年在 11 月 27 至 28 日。到了 12 月，天文台的氣溫會進一步跌至 12 度或以下，寒冷天氣還是會來臨。不過在 2017 至 2019 年連續 3 年，天文台的氣溫都要到 12 月才跌至 15 度或以下，2019 年更要到翌年 1 月下旬才跌至 12 度或以下，有可能與全球暖化的趨勢有關。

年份	香港天文台氣溫首次跌至 15度或以下之日期	香港天文台氣溫首次跌至 12度或以下之日期
2007	11月28日	12月31日
2008	11月28日	11月28日
2009	11月16日	11月17日
2010	12月8日	12月15日
2011	12月1日	12月3日
2012	11月27日	12月23日
2013	11月28日	11月28日
2014	12月2日	12月17日
2015	12月16日	12月17日
2016	11月24日	12月28日
2017	12月9日	12月17日
2018	12月12日	12月30日
2019	12月3日	1月27日（2020）

2007-2019年入冬後香港天文台氣溫趨勢（資料來源：香港天文台）

　　寒潮爆發源於西伯利亞，寒冷氣團大規模南下，為經過的地方帶來大風、降溫、降雪或降雨，有時還會在氣團的前緣（即鋒面）產生雷暴、冰雹等惡劣天氣。全球暖化如何影響寒潮爆發的強度及密度仍然是未知數，但現時普遍相信厄爾尼諾的影響下，香港冬季的平均氣溫比以前高，但並不代表不會受寒潮影響，因此大家仍然要留意天氣變化，注意保暖，並關心小孩及老人的需要。

反覆無常的天氣

　　香港春夏之間天氣反覆無常，早上潮濕有霧，日間陽光普照，氣溫上升至接近 30 度，但稍後又雷電交加，滂沱大雨，氣溫回落至十多度，是正常現象嗎？

　　這是由於春夏之間是大陸性氣團和海洋性氣團角力的時候。當海洋性氣團增強，佔據華南地區時，氣溫上升，大氣變得潮濕。東南風經過沿岸較涼的海面時便形成平流霧，影響能見度。

　　這時大陸性氣團勢力仍在，仍然影響華北及華中地區。當大陸性氣團增強，冷空氣南下，便在華中形成低壓槽再轉為冷鋒註，當冷鋒橫過本港時便帶來雷暴和大雨。冷鋒過後，香港再次受大陸性氣團影響，天氣又回復清涼。

　　這個過程不斷重複，結果天氣就反覆無常，乍暖還寒，時晴時雨。這個局面要到甚麼時候才能打破？當北半球日照持續增加，地面開始升溫，氣壓下降，大陸性氣團北退，海洋性氣團深入中國內陸時，香港不再受低壓槽影響，持續吹偏南風，夏季就開始。

　　一般而言，每年 4 至 6 月是香港的雨季，7 月上旬日照開始增多，天氣變得炎熱，進入夏季。但夏季亦是香港的風季，間中受熱帶氣旋吹襲。

這時低壓槽去了甚麼地方？低壓槽繼續北移，我們有時會聽到「華東水災」的新聞，就是低壓槽在華東地區停留的結果。低壓槽在 8 月甚至可到達華北地區，「北京出現大雨」的新聞也非罕見。

　　到了 9 月，北半球日照開始減少，地面降溫，氣壓上升，逐漸入秋。大陸性氣團再次增強，低壓槽或冷鋒南下橫過華南沿岸，香港再次有雨，天氣轉涼，「一雨成秋」就是這個意思。不過香港要到 10 月下旬，才有明顯的秋意。

註：　低壓槽和冷鋒在性質上相似，都是地面氣壓最低的軸線，但冷鋒南北兩側有明顯溫度差異，顯示受不同氣團影響。

為甚麼新界比市區冷？

　　香港天文台經常在天氣報告中預測「晚間新界氣溫低兩三度」，是信口開河，還是真有原因？

　　香港地形複雜，除了維港兩岸地區，還有山脈、平原、盆地，因此氣溫分佈不平均。我們不能單靠天文台總部的氣溫去評估自己所處地區的情況，不然就會「著錯衫」，埋怨天文台的預測不準確。

　　市區高樓林立，大部分為混凝土結構，日間吸收太陽熱量，晚間釋放出來，加上樓宇之間通風欠佳，令風力微弱，氣溫明顯偏高，這種現象稱為「熱島效應」；此外，車輛廢氣等溫室氣體積聚，減慢降溫；北面亦有大帽山、獅子山等阻擋，因此晚上市區氣溫一般較高。

　　雖然近年新界地區已發展不少，但沒有山脈作為屏障，加上植被的因素（市區多為混凝土，新界多為樹木及草地），散熱較快，晚上氣溫一般較低。而雲、風和水汽對減慢降溫亦有重要作用。雲就像鍋的蓋子，阻擋熱量向高空散失；風將地面低層的空氣混合，令降溫的速度減慢。水汽儲存熱量，令氣溫較穩定。

　　在晴朗、乾燥、無風的晚上，新界平原及盆地例如打鼓嶺、石崗、沙田、北潭涌等容易出現氣溫急降，氣溫比高地還要低的現象，稱為輻射冷卻（radiation cooling）。輻射冷卻出現時，由於氣溫下降，空氣中可容納的水汽減少，相對濕度因而上升。當相對濕度上升至接近 100%，空氣中的水汽就會飽和，視乎氣溫水汽會凝結成為露或凝華成為霜，輻射冷卻亦會結束，氣溫不再下降。這時氣溫可能比

市區低 5 至 10 度。

　　每年的 12 月至翌年 1 月，每次寒潮南下，冷空氣支配華南後，天氣轉為晴朗乾燥。假如晚上風勢進一步減弱，出現輻射冷卻的條件就成立。一般情況下，輻射冷卻效應在日出前最顯著，打鼓嶺氣溫曾有跌至 0 度的紀錄。但有時午夜過後雲量增多或風勢增強，輻射冷卻過程就會被破壞，氣溫停止下降甚至回升。1 月中過後，由於冷空氣較薄，高空吹南風引致雲量增多，出現輻射冷卻的機會較低。

　　輻射冷卻的相反是輻射增溫，通常在輻射冷卻出現後的早上出現，氣溫可在 1 小時內上升 10 度，出現「V 形反彈」，氣溫比市區還要高。所以居住在新界的朋友，要留意早晚溫差的變化。

2016年 1月13日 0時 0分至15時 0分的最低氣溫(攝氏度)

2016 年 1 月 13 日本港各區最低氣溫，新界地區氣溫明顯比市區為低。（Courtesy of the Hong Kong Observatory of HKSAR）

「百年一遇」的大雨

　　2014 年 3 月 30 日香港受暴雨及冰雹影響，香港天文台發出有紀錄以來最早的黑色暴雨警告。渠務署指出部分地區雨勢是「二百年一遇」。

　　每件事情都有發生的頻率，即事件在某段時間內發生的次數。所謂「百年一遇」，是指事件平均每 100 年發生一次（即概率為 1%），但並不代表每隔 100 年才發生一次。以擲錢幣為例，理論上出現「公」及「字」的機會是相同的，每擲錢幣兩次，「公」及「字」應各出現一次（即概率為 50% 或一半），但我們擲 100 次時，可能會出現 60 次「公」及 40 次「字」，要將擲錢幣次數增加，「公」及「字」的次數才會逐漸接近。

　　降雨有隨機性。加上香港複雜的地形，可以出現新界區下暴雨，香港島陽光普照的現象，現時的科技無法準確預測。因此不能單靠天文台發出的警告來行事，必須自行參考各區的天氣情況，而最有用的工具就是天文台的雷達圖。

　　當降雨來臨時，我們會量度雨量。雨量是指雨水在地面累積的高度，例如 10 毫米雨量就是指雨水在地面累積 10 毫米或 1 厘米。別小看這 1 厘米，假如雨水全落在一個 50 米長 25 米闊的奧運比賽泳池中，雨水的容量足足有 12,500 公升，即 12,500 公斤重！

除了雨量，我們亦會計算降雨率，即雨勢的大小。雨勢的變化可以很大，例如在 10 分鐘內錄得 30 毫米雨量，降雨率就是每小時 180 毫米，但這不代表我們將會錄得 180 毫米雨量（除非雨勢維持 1 小時）。根據天文台的紀錄，大雨影響香港時，降雨率往往可以達每小時 200 至 300 毫米。

由於突然而來的大雨會引致山洪暴發及道路水浸，天文台於 1992 年開始以暴雨警告提醒市民。發出暴雨警告是以降雨率而非水浸情況來決定，當過去 1 小時或更短時間香港廣泛地區錄得 30、50 或 70 毫米雨量，便會發出黃色、紅色或黑色暴雨警告。此外，天文台亦會發出山泥傾瀉警告來提醒市民累積雨量帶來的潛在危險。

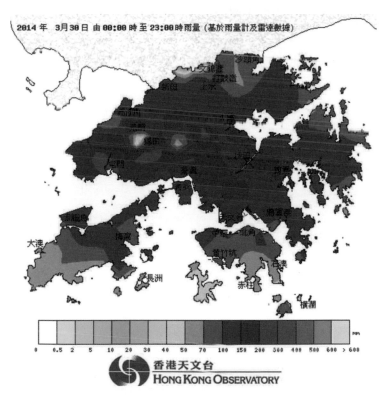

2014 年 3 月 30 日香港出現大雨，新界部分地區雨量超過 200 毫米（Courtesy of the Hong Kong Observatory of HKSAR）

為甚麼會下冰雹？

　　2014年3月30日，香港受低壓槽影響，晚上出現暴雨，香港天文台發出有紀錄以來最早的黑色暴雨警告，新界西部分地區錄得超過200毫米雨量，不少市民更觀察到落雹現象。冰雹是怎樣形成的？我們可以預測冰雹襲港嗎？

　　冰雹是空氣中的水汽猛烈上升，到達冰點以下的高度時，水汽直接凝華成為冰晶的現象。最初冰晶非常細小，但在空氣中不斷碰撞及結合，體積及重量增加成為冰粒。冰粒變重後會跌至較低高度，但由於上升氣流猛烈，冰粒再次上升，與更多水汽及冰粒結合，成為更大的冰粒。這個過程不斷重複，直至上升氣流減弱或消失，冰粒失去支持，便掉到地面成為冰雹。

　　冰雹的大小由黃豆至雞蛋一般大不等，由於在空氣中不斷升降，空氣阻力令冰雹呈球形，有時形狀帶點不規則。假如我們將冰雹切開，會看到裡面一層層的結構，每層結構是冰雹上升時與水汽結合形成。因此網上流傳長方形的冰雹，並非真實。

　　冰雹在香港並非罕見，每隔一兩年就會出現一次，但2014年3月30日那次香港多區收到冰雹報告，部分冰雹體積有如高爾夫球大小，足以擊破玻璃，造成建築物及車輛損毀。九龍塘及屯門均有商場天花受損，甚至出現嚴重水浸。另外，有些人以為冰雹是冬天的天氣，其實是錯誤的觀念。

現時科技無法預測冰雹形成。但利用實時雷達圖的迴波強度，可以估計冰雹出現的可能性。天文台的雷達圖上，不同強度的迴波（代表對流的強弱）以藍、綠、黃、橙、紅及紫色顯示。當出現黃色的迴波，代表有雷暴發展。當出現紫色的迴波，代表對流非常猛烈，可能形成冰雹。

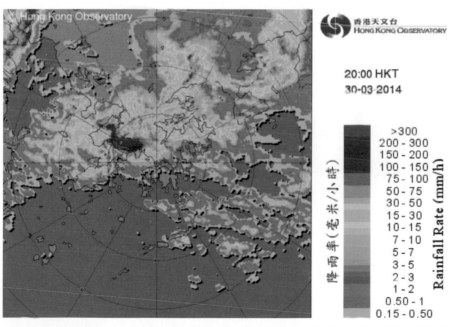

2014 年 3 月 30 日晚上 8 時天文台雷達迴波圖。紫色迴波在屯門公路一帶，屯門、荃灣及葵青區均有冰雹報告。（Courtesy of the Hong Kong Observatory of HKSAR）

「乾冬濕年」有多準？

　　冬至是中國一個重要節日。中國人傳統「冬大過年」，香港也不例外，在冬至那天部分公司會讓員工提早下班，街市會比平日擁擠，市民晚上與家人相聚過節。

　　冬至是二十四節氣的其中一個。古人日出而作，日入而息，以為地球是宇宙的中心，太陽圍繞地球運行。他們將太陽圍繞地球的軌道（黃道）分為 24 份，稱為二十四節氣，來描述一年中天氣變化及對應的農耕過程：

立春、雨水、驚蟄、春分、清明、穀雨

立夏、小滿、芒種、夏至、小暑、大暑

立秋、處暑、白露、秋分、寒露、霜降

立冬、小雪、大雪、冬至、小寒、大寒

　　現今我們則以地球圍繞太陽運行的基礎制定陽曆，以月球圍繞地球運行的基礎制定陰曆。由於節氣以太陽在黃道上的位置而制定，與陽曆相似，因此每年節氣在陽曆出現的日子相對固定，前後相差不會多於 3 天，而冬至通常在 12 月 21 或 22 日。

老人家常說「乾冬濕年」，假如冬至當日沒有下雨，農曆新年便會下雨。根據香港天文台統計，以天文台沒有錄得雨量的日子定義為乾，有雨的日子定義為濕，自 1884 年有紀錄以來，只有約一半的乾冬是伴隨著濕年，跟擲硬幣的成功機會相若。因此「乾冬濕年」的說法其實並不準確。氣候學上，香港 12 月受寒冷乾燥的大陸性氣流影響，天晴的機會較高；1 月開始，溫暖潮濕的海洋氣流開始影響華南沿岸地區，天氣變得多雲，間中有霧，適逢有冷空氣南下時，兩股氣流相遇便形成雲和雨，因此「乾冬」和「濕年」其實沒有直接關係。

　　另一方面，傳統也有「過冬不冷新年冷」的說法，但由於每年農曆新年的日子並不固定，有時可以相差 1 個月，期間香港的人氣可以有很大變化，所以難以直接比較。

雨季與戶外活動

踏入雨季，進行戶外活動時有甚麼要留意？

    戶外活動容易受天氣變化影響。香港雨季天氣多變，必須經常留意香港天文台發出的天氣預報及更新。香港天文台在 2014 年 4 月推出了「九天天氣預報」[1]，提供更長遠的天氣變化趨勢。由於天氣預報存在誤差，而誤差大小與預報長度成正比，因此閱讀天氣預報時，應留意天氣變化的趨勢，而不應過分看重某日的某個數值。

    除了香港天文台提供中期天氣預報外，中國中央氣象台亦提供中期天氣預報[2]，當中包括全國每日降雨量預報，值得參考。雖然香港只是廣東省內的一個點，準確預報的難度很高，但參考整個廣東省每日降雨量預報的變化，亦可以了解天氣變化的趨勢。

    了解天氣變化趨勢後就可以計劃戶外活動。隨著活動日子臨近，要開始留意短期天氣預報及實時天氣情況。短期天氣預報以香港天文台發出的機場天氣預報[3]參考價值較高，當中列出天氣變化的時間及內容，例如某段時間有雨或雷暴、某段時間大風等。雖然機場天氣預報的對象為航空業界人士，有效地點為赤鱲角機場，但一般天氣系統均會影響整個香港，只是時間可能稍有不同，因此仍具參考價值。

至於實時天氣情況則以香港天文台的雷達圖[4]最為有用。雷達圖上顯示下雨的地區及強度，只要將某段時間的雷達圖連續播放，便可以評估雨區會否影響香港及到達時間。假如戶外活動進行中但雷達圖上有雷暴或大雨（黃色、橙色或紅色雨區）迫近，便可及時更改或取消行程，回到安全地點。

　　如今科技進步，上網已非難事。只要我們善用資源，謹慎計劃及隨機應變，戶外活動因天氣變化出現危險的機會應可減少。

參考資料

1　香港天文台九天天氣預報：http://www.weather.gov.hk/tc/wxinfo/currwx/fnd.htm
2　中國中央氣象台中期天氣預報：http://www.nmc.cn/publish/bulletin/mid-range.htm
3　香港天文台機場天氣預報：http://www.weather.gov.hk/tc/aviat/taf_decode.htm
4　香港天文台雷達圖：http://www.weather.gov.hk/tc/wxinfo/radars/radar.htm

為甚麼天氣預報不準確？

我們日常接觸的天氣預報是如何產生的呢？為甚麼有時會不準確？

天氣是大氣變化的結果，而大氣變化受物理學定律約束。要預測天氣，即要從大氣變化方程式中求解。然而大氣變化方程式既繁且多，無法直接求解，需要運用超級電腦以數值方法模擬及運算，得出的結果就是數值天氣預報（numerical weather prediction，簡稱NWP）。

科學家發現，大氣是一個混沌（chaos）系統，以數值方法模擬運算時，只要輸入數值有少許差異（例如量度儀器出現誤差或無數據），得出的結果完全不同。這現象又稱為蝴蝶效應（butterfly effect），比喻在某地拍翼的蝴蝶，可能引致數千公里外出現龍捲風。因此數值天氣預報的準確度隨時間增加而減少，數天後的預報只能用作參考。

數值天氣預報涉及複雜運算，因此愈精細、覆蓋範圍愈大的模式，所需的運算時間愈長。其中全球模式（global model）主要預報較大的天氣系統（例如寒潮、熱帶氣旋）；有限區域模式（limited area model）主要預報較小的天氣系統（例如海陸風、雷暴）。

香港天文台參考的數值天氣模式主要來自歐洲中期天氣預報中心
（European Centre for Medium-Range Weather Forecasts, ECMWF）、
日本氣象廳（Japan Meteorological Agency, JMA）、英國氣象局
（United Kingdom Met Office, UKMO）及美國國家環境預報中心
（National Centers for Environmental Prediction, NCEP）。由於不同
預報模式對大氣的模擬方法有差異，預報結果並不一致，需要預報員
的主觀演繹、採納或剔除，要求預報員有相當經驗。

　　隨著近午電腦運算能力提高，集合預報（ensemble forecast）開
始出現。集合預報嘗試以不同輸入數值進行運算，得出結果後再進行
平均。另一種方法是以不同預報模式的結果進行平均，研究顯示兩者
均能改善預報的準確度。近年香港天文台開始採用集合預報預測熱帶
氣旋路徑，效果相當不俗。

天文大潮

　　地球上的潮汐變化受引力影響。地球圍繞太陽運行，月球圍繞地球運行，當太陽、地球、月球三者位置連成一線時，引力最大，潮汐變化最明顯。這種情況每月會出現 2 次，大約出現在新月及滿月前後，稱為大潮或天文大潮。相反，在上弦月及下弦月前後，引力最小，潮汐變化不明顯，稱為小潮。

　　正常情況下，漲潮及退潮每日出現 2 次。接近天文大潮的日子，漲潮會漲得更高，退潮會退得更低。漲潮時身處低窪地區，會發現海平面異常地高，甚至出現水浸，又稱海水倒灌。相反退潮時進行「摸蜆」活動，會發現水退至離岸較遠的地方，收穫較佳。但由於海平面較正常為低，有時會出現船隻無法在碼頭泊岸的情況。

　　香港天文台除了預報天氣外，亦有進行潮汐監測[1]及預報[2]。香港境內有 11 個潮汐站，分別由天文台、海事處及機場管理局負責管理並提供實時數據，另外天文台亦提供香港境內 14 個地點的潮汐預報。

　　潮水高度亦會受其他因素影響。當熱帶氣旋迫近，氣壓降低及強風把海水吹向陸地引致海平面上升，稱為風暴潮（storm surge）。此外，海洋淺層地震引致海水出現波動，當波動到達淺水區時被放大引致海平面上升，稱為海嘯（tsunami）。

香港過去亦有天文大潮造成水浸的新聞。例如 2006 年 2 月，天文大潮加上強烈季候風引致沙田、上環等低窪地區出現水浸，令部分海味店東主有損失。

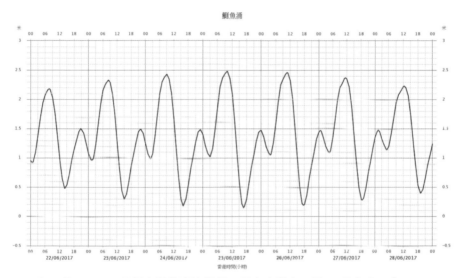

2017 年 6 月 22 至 28 日鰂魚涌的潮汐預報，天文大潮在 6 月 25 日出現。（Courtesy of the Hong Kong Observatory of HKSAR）

參考資料

1　香港天文台實時潮汐資料：http://www.weather.gov.hk/tc/tide/marine/realtide.htm
2　香港天文台潮汐預報：http://www.weather.gov.hk/tc/tide/predtide.htm

極端天氣的應對策略（上）：預報篇

　　2016 年 1 月，事先張揚的極端天氣終於橫掃全中國，令不少地區出現破紀錄低溫及雨雪天氣。這股超級寒潮的威力甚至令越南北部下雪，泰國首都曼谷的氣溫亦跌破 20 度。

　　在香港，2016 年 1 月 24 日香港天文台氣溫一度錄得 3.1 度的低溫，僅次於 1893 年及 1957 年的寒潮。1893 年的寒潮天文台錄得最低氣溫 0 度，而 1957 年的寒潮天文台錄得最低氣溫 2.4 度。

　　在寒潮影響香港前一星期，坊間有人根據數值天氣預報結果斷言香港會非常寒冷並且下雪。雖然香港過去曾有下雪紀錄，但在全球暖化的背景下，香港氣溫（無論是平均或最高）屢創新高，要接受數值預報模式的一個極端低溫及下雪預測，並不是一件容易的事。

　　熟悉天文台運作的朋友可能知道，天文台並非憑單一數值預報模式進行天氣預測，而且會根據模式過去的表現及考慮香港的客觀因素（例如地形、氣候）對模式預報作出修訂。而外國網站一般為全自動操作，對預報結果不作任何品質管理，亦不會參考預報點的客觀因素，因此有時會出現誇張的預報，令人無法肯定其準確性。

即使是最有名的歐洲中期天氣預報中心ECMWF（European Centre for Medium-Range Weather Forecasts）模式及美國國家海洋及大氣管理局的GFS（Global Forecast System）模式，在不同場合的預報表現亦有高低，沒有一個模式永遠優勝。預報有時甚至不斷更改，令人無所適從（例如秋季熱帶氣旋路徑預報）。在這個前提下，香港天文台開發了「多模式集合預報」（multi-model ensemble forecast），將主要模式（包括歐洲、美國、日本及香港）的預測組合起來，成為一個加權平均預報。集合預報是近年天氣預報一個新方向，研究表示能有效減少熱帶氣旋路徑預報的誤差，不過在寒潮預報方面的文獻較少。

由於集合預報進行了平均處理，預報比單一模式穩定，但對天氣變化的反應亦會較慢。然而作為官方天氣預報機構，一個穩定的預報比一個朝令夕改的預報來得有公信力。對一般公眾而言，天文台能夠預測天氣變化，而大氣變化沒有令他們不便（這不是天文台的工作範疇），便是及格。這肯定與「極端天氣」愛好者追求完美預測的期望有落差。

不過經過這次超級寒潮事件後，我們要重新思考一下如何面對數值預報的極端天氣預測。現時部分預報機構會提供熱帶氣旋主流預報及可能性較低的替代預報（alternative scenario），給公眾作為參考。同樣理念能否在寒潮預報上推行，有待研究。

極端天氣的應對策略（下）：資訊篇

　　2016年1月的超級寒潮令香港天文台氣溫跌至差不多60年來新低。面對極端天氣可能影響香港，天文台如何發放資訊才恰當？

　　早在寒潮影響香港一星期前，部分網上平台及媒體根據全球數值天氣預報模式的預測結果，大肆報道香港將會下雪的消息，並在圖表及文字上下了不少功夫以吸引眼球。對一般市民來說，他們對數值天氣預報一無所知，不少人信以為真。而由於當時距離預測日期尚遠，天文台未有作出澄清或補充，消息得以愈傳愈大。

　　這情況有點像夏季熱帶氣旋迫近香港時，網上總有謠傳自稱貨櫃碼頭、航運公司或其他機構的消息，指天文台會在甚麼時候改發八號、九號甚至十號風球一樣。雖然消息每次都證實為假，但下次再有熱帶氣旋襲港時又會被廣傳，人們繼續信以為真。這帶出了一個問題：為甚麼市民寧願相信天文台以外的資訊？

　　香港天文台作為政府機構，在「多做多錯，少做少錯」的作風下，表現一向保守是意料中事。雖然近年已不斷進步，但在資訊發放的時間性、天氣稿的用字、接受媒體查詢時的回應方式等，仍有不少進步空間。市民無法第一時間得到他們易於明白的信息時，自然會參考非官方資訊。但非官方資訊來源良莠不齊，有些純粹為滿足個人慾望或引起混亂，而且就算預測最後沒有實現，也無須負上責任。

對於這次超級寒潮，內地及海外地區的用字相當進取，例如用「霸王級」、「怪獸級」，而天文台只用「強烈寒潮」，無法令市民留下印象。在風力表達上，「離岸及高地吹烈風」等同八號風球風力，冬季出現機會不多，天文台應該加以強調，令市民注意除了氣溫急降外，戶外活動亦會受影響。而且在嚴寒及大風的天氣下，體溫流失的速度非常快，市民感覺到的溫度比氣溫更低，因而覺得天文台的預測更不準確。美加的氣象機構及媒體經常引用風寒指數（wind chill index）來警告戶外逗留的風險，然而香港只有非官方網站（例如地下天文台）提供風寒指數。

　　嚴寒天氣甚少在香港出現，這　代香港人人多數只認識結霜，並視為一項觀賞活動。這次超級寒潮帶來結冰天氣，很多人都忽視其危險性，而天文台亦只用「高地可能出現結冰或結霜」來提示市民。道路結冰是非常危險的事，除了會造成交通意外，亦會令行人跌倒受傷。如果天文台能加強警告字眼，或者市民不會一窩蜂上山，不致出現交通擠塞和意外。

　　在全球暖化的背景下，極端天氣出現頻率有上升趨勢。2016年1月連場大雨，天文台錄得266.9毫米的破紀錄雨量，是正常24.7毫米的10倍多。假如有一天超強颱風迫近香港，預料會出現數米高風暴潮，不知危險的市民會否湧到岸邊觀浪？

暴雨警告的來由

　　每年 5 至 6 月，北方的冷空氣開始減弱，南方的暖空氣開始增強，當兩者在華南沿岸相遇時便形成低壓槽。由於兩股氣團勢力相當，引致低壓槽停留不動，造成持續降雨。

　　1992 年 5 月 8 日清晨，大雨引致市區嚴重水浸，香港天文台在早上 6 至 7 時錄得 109.9 毫米雨量（此紀錄先後於 2006 及 2008 年被打破，2008 年紀錄為 145.5 毫米）。由於當時未有暴雨警告，市民如常上班上學，但大雨引致道路嚴重水浸，交通癱瘓。山洪暴發令汽車堆疊在一起，金鐘的道路更變成急流，多名市民被沖走，險象橫生。天文台事後被指責預報失當，其後設立暴雨警告。初時系統分為綠色、黃色、紅色及黑色：

> 綠色：預料未來 12 小時內會有顯著雨量。

> 黃色：預料未來 6 小時內，香港境內會有 50 毫米雨量。

> 紅色：在過去 1 小時或更短時間內，香港廣泛地區錄得超過 50 毫米雨量。

> 黑色：在過去 2 小時或更短時間內，香港廣泛地區錄得超過 100 毫米雨量。

其中綠色及黃色是供政府部門及公共機構使用。後來天文台將系統修訂為黃色、紅色及黑色：

黃色：在過去 1 小時或更短時間內，香港廣泛地區錄得超過 30 毫米雨量。

紅色：在過去 1 小時或更短時間內，香港廣泛地區錄得超過 50 毫米雨量。

黑色：在過去 1 小時或更短時間內，香港廣泛地區錄得超過 70 毫米雨量。

同時取消沿用多年的水浸警告。但暴雨影響新界北部時容易導致農田及低窪地區水浸，因此天文台設立新界北部水浸特別報告。

天文台會參考全港雨量站實時數據，當一定數量的雨量站達標時便會發出警告。暴雨警告有時亦帶有預警性（特別是黃色暴雨警告），會在雨量達標前，甚至還未下雨便發出，但暴雨強度及影響香港的時間有時難以準確預測，因此有時累積雨量未必達標。而且暴雨一般只會持續三數小時，因此有時當紅色或黑色暴雨警告發出後，雨勢反而減弱甚至停止。雖然暴雨帶來的危險減少，但累積降雨會帶來山泥傾瀉的危險，天文台會視乎 24 小時累積雨量發出山泥傾瀉警告，市民不能鬆懈。

暴雨預警可行嗎？

　　春夏期間香港經常受雷暴及大雨影響，其中以清晨至早上出現雷暴及大雨的機會較高，香港天文台有可能要發出暴雨警告。假如警告在上學上班時間發出，會對市民帶來不便。有建議説天文台不如仿效熱帶氣旋警告，2 小時前發出預警。技術上可行嗎？

　　熱帶氣旋跟暴雨是兩個截然不同的天氣系統。前者影響範圍（又稱尺度）大，持續時間長，瞬間強度變化小（急劇增強或減弱除外）。後者影響範圍小，持續時間短，瞬間強度變化大。

　　現時的預報技術對大尺度系統，例如反氣旋、熱帶氣旋的預報相當不錯，因此冬季寒潮南下或夏季熱帶氣旋影響香港前，天文台可以在幾日前作出預報提醒市民。但對於尺度較小的系統，例如雷暴、颮線（squall line）等，由於瞬間強度變化大，現時的預報技術仍然未能充分掌握，經常出現虛報（預報但沒有發生）或漏報（沒有預報但發生）的情況。

　　早於 1999 年，香港天文台業務運作上已開始使用一套稱為小渦旋（Short-range Warning of Intense Rainstorms in Localized Systems, SWIRLS）的降雨臨近預報系統 [1]，並曾於 2008 年北京奧運會、2010 年上海世界博覽會及同年的新德里英聯邦運動會上使用，協助提供短時降雨預報。現時系統已發展至第二代，天文台亦將預報結果簡化為圖像在網站公佈 [2]。

不過,小渦旋驗證結果顯示[3],雖然 1 小時降雨預報的命中率有 75%,但當預報時間延長至 2 小時,命中率即急跌至 53%。而預報 1 小時暴雨(30 毫米)的虛報率高達 62%。

暴雨預警並非不可行,但由於暴雨的強度及移動可以在瞬間出現急劇變化,現時科技只能提供極短時間(1 小時或以內)的預報,而且虛報率相當高。過去天文台虛報熱帶氣旋襲港(例如發出八號風球)經常引致市民及商界批評,然而預報暴雨比熱帶氣旋更加困難,大家願意承擔的風險又有多少?

參考資料

1　小渦旋臨近預報系統:
　　http://www.weather.gov.hk/tc/education/article.htm?title=ele_00448
2　珠江三角洲地區降雨臨近預報:https://maps.weather.gov.hk/ocf/index_uc.html?data=ncrf
3　Recent Developments and Applications of the SWIRLS nowcasting system in Hong Kong, Hong Kong Observatory, 2012:http://www.weather.gov.hk/publica/reprint/r1024.pdf

天氣警告與天氣觸覺

天氣警告是否愈多愈好？香港市民有天氣觸覺嗎？

香港位於亞熱帶地區，四季天氣變化很大。每次惡劣天氣影響香港，市民都會留意香港天文台發出的警告，例如雷暴警告、暴雨警告、熱帶氣旋警告等。跟六、七十年代相比，惡劣天氣造成的人命損失已大大減少，反而對經濟的影響更大。每次惡劣天氣過後，總有市民埋怨警告不足，例如沒有及早發出，沒有反映身處地區情況等。

天文台部分天氣警告有一定局限性。雷暴的發展和減弱可以甚為迅速，影響的範圍可以非常小，因此天文台無法在數小時前發出雷暴警告，雷暴亦可能只影響局部地區。例如夏天午後新界出現雷暴，市區卻天晴酷熱。由於部分公共泳池於雷暴警告下暫停開放，因此可能出現天晴但泳池關閉的情景。此外，天文台發出暴雨警告時亦可能面對同樣情況：部分地區雨勢較大或較小，市民懷疑警告的可信性。

有建議指出天文台可否發出地區性警告。不過假如新界受暴雨影響，需要發出黑色暴雨警告，但市區雨勢不大，只需要發出黃色暴雨警告，那麼新界的市民應否往市區上班及上學？市區的市民又應否往新界上班及上學？

隨著近 20 年天氣警告數目增加，香港市民比以前依賴天氣警告，失去了對天氣的觸覺及本能。例如當酷熱或寒冷天氣影響香港時，只要留意身處地區氣溫，作出相應措施即可，不必等待天文台發出警告。以寒冷天氣為例，晚間新界氣溫往往比市區低幾度，由於市區未達寒冷標準，天文台沒有發出寒冷天氣警告，但新界市民不應因此鬆懈。以前漁民懂得觀看雲和風的變化預測天氣，隨著遙感科技進步，現在我們可以參考雷達圖和衛星雲圖預測天氣。

　　物競天擇，適者生存。人類生活在大自然中，需要作出適應及配合，而不是埋怨惡劣天氣帶來麻煩，甚至投訴天文台沒有適時發出合適的警告，讓自己多一天假期。天氣每天都在影響我們的生活，過分依賴警告，失去對大氣的觸覺，其實很悲哀。看見天空烏雲密佈，不必天文台發出「下雨警告」也會帶雨傘外出吧？

TUESDAY　　27°C

第二章

天氣常識

香港一年中最冷的時候

　　很多人以為，12月是香港最冷的月份。翻開香港30年氣候數據，我們發現其實香港最冷的時候出現在1月下旬，香港天文台錄得的最低氣溫平均在14度以下。由於天文台位處市區，最低氣溫比較高，新界地區氣溫將比天文台更低。而1月下旬正是廿四節氣中的「大寒」，非常應節。

　　我們將短時間（例如幾天至一星期）的氣象變化稱為天氣，將長時間平均的氣象變化稱為氣候。根據世界氣象組織的標準，我們以30年的數據計算平均，每10年為一個單位及更新一次。因此最新的氣候數據是1981至2010年的平均值，下次更新要到2021年，屆時的氣候數據是1991至2020年的平均值。

　　隨著全球暖化，極端天氣出現的頻率有增加趨勢。所謂極端天氣，是指大幅偏離氣候常態分佈曲線（包括向左及向右）的天氣現象，例如酷熱及嚴寒，暴雨及乾旱等。以氣溫為例，2019年香港酷熱天氣日數（天文台最高氣溫達33度或以上）有33天（氣候平均值為10天）；熱夜日數（天文台最低氣溫達28度或以上）有46天（氣候平均值為18天）；而寒冷日數（天文台最低氣溫12度或以下）只有1天（氣候平均值為17天）。這些數字均大幅偏離氣候平均值。

氣候數據經過多年平均，無法反映極端天氣。雖然氣候上香港 1 月下旬最冷，但近年 2 月下旬甚至 3 月天文台出現 10 度或以下寒冷天氣的次數也不少。例如 2016 年 3 月 10 及 11 日的 10.0 度、2012 年 2 月 28 日的 9.8 度、2010 年 3 月 10 日的 8.1 度等。因此，以氣候來説，1 月是香港最冷的月份；但如果考慮極端天氣出現的可能性，即使踏進 2 月，甚至 3 月，出現寒冷天氣的可能性仍然存在。

如此看來，俗語説「未食五月糭，寒衣不入櫳」，雖然看來有點誇張，也未必完全沒有道理。

延伸閱讀

香港氣候數據、極端值及其他統計資料：http://www.weather.gov.hk/tc/cis/climat.htm

立春之後就不再冷？

　　「立春」是二十四節氣中的第一個節氣，表示冬季結束，春季開始。

　　中國人喜歡將「立春」和農曆新年一起談論。由於二十四節氣是根據太陽在黃道上不同位置而制定，因此每個節氣出現的日子相當固定，而立春一般在 2 月 3 日或 4 日。但農曆是陰曆（根據月球運行制定），每年農曆正月初一的日子都不相同，介乎 1 月下旬至 2 月中旬之間。因此立春有時出現在農曆新年前，有時卻出現在農曆新年後。中國人的生肖是根據立春的日子計算，立春後進入下一個生肖，因此假如立春在農曆新年前出現，「（生肖）年第一個出生嬰兒」就是指農曆新年前出生的嬰兒。同樣道理，假如立春在農曆新年後才出現，正月初一出生的嬰兒仍然屬於上一個生肖。

　　那麼立春後天氣是否不再冷？答案是否定的。近年香港在 3 月，甚至 4 月仍然有機會受冷空氣影響，香港天文台甚至發出寒冷天氣警告，參考下表：

寒冷天氣警告發出日期	其後香港天文台錄得最低氣溫（攝氏）
2003 年 3 月 6 日	11.5
2004 年 3 月 3 日	13.3
2005 年 3 月 2 日	10.6
2005 年 3 月 12 日	9.5
2006 年 3 月 12 日	9.0
2007 年 3 月 7 日	10.6
2007 年 4 月 3 日	12.3
2010 年 3 月 8 日	8.1
2011 年 3 月 15 日	12.9
2012 年 3 月 9 日	11.4
2016 年 3 月 9 日	10.0
2016 年 3 月 24 日	11.6
2018 年 3 月 8 日	11.1

資料來源：香港天文台

　　我們可以看到 3 月份需要發出警告的次數並不少，不過大部分集中在 3 月上旬。但亦有極端例子，例如 2016 年 3 月下旬及 2007 年 4 月上旬，天文台氣溫仍然可以低至 12 度。

日出與月出

　　「冬至是北半球全年白天最短的一天」，在香港，白天的時間約為10 小時 46 分鐘。不過那天的日出不是最遲，日落也不是最早。日落最早的日子並不在冬至那天。香港最早日落在 11 月下旬出現，日落時間是下午 5 時 38 分，6 時左右天空便黑了。之後日落時間開始延遲，冬至那天是下午 5 時 45 分，因此並不是最早日落的一天。

　　日出方面，冬至的日出時間是上午 6 時 58 分，但並不是最遲日出的一天，因為香港最遲的日出在 1 月中旬出現，日出時間是 7 時05 分，有些市民出門上班上學時，天空還沒有亮起來。

　　至於最早的日出在 5 月末至 6 月中出現，時間是上午 5 時 39分；最遲的日落在 6 月下旬至 7 月上旬出現，時間是下午 7 時 11分，同樣兩者都不在夏至那天。

　　在日出前及日落後的短時間內，天空仍然光亮，戶外大型操作及活動仍然可以進行，這段時間約為 22 至 25 分鐘，隨季節有輕微變化，我們稱為民用曙暮光（civil twilight）。

談過日出，也談一下月出。大家有否留意月出時間每天都不一樣？其實月出時間跟農曆的日子有相當關係，初一的時候，太陽和月球在地球的同一方（朔），月出和日出的時間接近，太陽光把月亮蓋過了，所以看不到月亮。不過有時在天晴的黎明或黃昏，天空比較暗時，可以看到一彎「娥眉月」。初十五的時候，太陽和月球分別在地球的兩側（望），月出和日落的時間接近，有時會在西方看到日落，東方看到月出。

　　由於月出時間每天延遲大約 1 小時，有些日子接近中午才月出或月落，於是當天就沒有月落或月出。

天氣與氣候

天氣與氣候有甚麼不同？如何觀測及預報？

地球被大氣包圍，而大氣每秒都在變化，我們把某個短時間內（例如一星期內）大氣變化的情況稱為天氣。

觀測天氣變化有很多方法。我們可以利用儀器量度大氣的溫度、相對濕度、氣壓、風向、風速、雨量等，甚至安裝一個自動氣象站，將量度及記錄過程自動化。現時一個業餘自動氣象站只需數千元，因此不少學校及氣象愛好者均會安裝。

除了實地觀測外，我們亦可利用氣象衛星及雷達進行觀測，這種方法稱為遙感觀測。遙感觀測可以評估天氣系統（例如熱帶氣旋）的大小、雲的溫度分佈及速度、雨區的強弱等。

由於天氣可以在短時間內急劇變化，因此對社會民生影響很大。準確的天氣預報可以減少經濟及人命損失。現時預測天氣最常用的方法是利用超級電腦模擬大氣變化，但不同電腦模式採用的方法略有差異，加上輸入的天氣數據有不確定性（例如儀器準確度、沒有數據的位置），因此會得出不同結果，需要預報員憑經驗取捨或進行微調。

至於氣候，是指長時間（世界氣象組織以 30 年作為標準）天氣變化的平均值。「香港屬於亞熱帶氣候」就是一個例子。由於氣候是天氣變化的平均，因此觀測方法就是將天氣數據分析整理，進行統計運算及繪畫圖表。

　　一般而言，氣候變化比較溫和，對地區甚至國家的經濟發展（例如農業、漁業等）影響較大，我們會分析變化有沒有趨勢或週期（例如厄爾尼諾）。近年「全球暖化」經常成為討論話題，而香港天文台研究亦發現香港氣溫有上升趨勢。假如「全球暖化」持續，極端天氣（即分佈曲線兩端的情況）出現機會亦會繼續上升，例如酷熱與嚴寒、水災及乾旱等。

　　無論是天氣還是氣候，我們都應關注它們的變化。

天空為甚麼是藍色的？

天空為甚麼是藍色的？日出日落時天空又為甚麼變成紅色？

我們肉眼可見的太陽光，其實由不同顏色的光組成。光是電磁波的一種，電磁波有波長（wavelength），不同顏色的光有不同波長。其中紅光的波長最長，紫光的波長最短。

光以直線前進，但當遇到大氣中的塵粒、水滴或氣體時便會出現變化。其中塵粒、水滴會把光反射，以另一方向前進。當光遇到氣體時，會被氣體吸收，不同波長的光被吸收的程度不同。長波長的光（例如紅光和橙光）被吸收的程度較低，短波長的光（例如藍光和綠光）被吸收的程度較高。氣體吸收光後會以輻射的形式把光向不同方向射出，稱為散射（scattering）。

太陽光射進地球大氣時，藍光被吸收及散射較多，我們抬頭看天空便見到藍色。接近地面的天空藍色較淺，因為被散射的藍光要經過較長距離才到達眼睛，途中被進一步吸收及散射。太空由於沒有大氣，光沒有被吸收和散射，所以是黑色的。

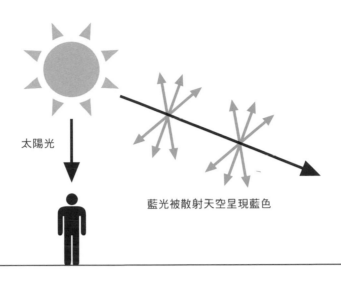

太陽光

藍光被散射天空呈現藍色

　　日出日落時，太陽光經過較長距離才到達眼睛。波長較短的藍光和綠光被吸收及散射，只剩下紅光和橙光，因此太陽變成紅色。假如當時大氣有大量塵粒或水滴，把紅光和橙光反射，天空亦會變成紅色。這解釋了為甚麼日出日落時，如果天空變成紅色，表示大氣較為潮濕，天氣可能轉壞。

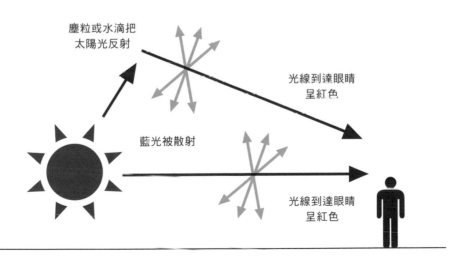

塵粒或水滴把
太陽光反射

光線到達眼睛
呈紅色

藍光被散射

光線到達眼睛
呈紅色

日出與曙暮光

　　每年元旦，不少市民前往高地觀看及拍攝日出。有甚麼地方要注意？

　　香港冬季日出時間較夏季為遲。市民出門上班上學時，天空還沒有亮起來。香港最遲的日出在 1 月中旬出現，日出時間為上午 7 時 05 分，而元旦的日出時間通常為上午 7 時 03 分。

　　我們可以瀏覽香港天文台網站或其他網站得知日出時間及方位，然後再揀選合適地點觀賞日出。留意不同季節日出方位稍有不同，夏季日出於東北偏東方，冬季日出於東南偏東方。部分觀賞地點遠處有山丘或小島，可能無法看到太陽從地平線升起的一刻。

　　日出前，雖然太陽在地平線下，但天空已開始亮起來，這段時間稱為曙暮光（twilight）。曙暮光分為民用曙暮光、航海曙暮光及天文曙暮光三種：

1. 民用曙暮光（civil twilight）
太陽在地下線至地平線以下 6 度的時間，這時雖然光線不足，但戶外物件輪廓仍可辨認，大型操作仍可進行。

2. 航海曙暮光（nautical twilight）
太陽在地平線以下 6 至 12 度的時間，這時雖然看不到地平線，但可以看到天上較亮的星星。

3. 天文曙暮光 (astronomical twilight)

太陽在地平線以下 12 至 18 度的時間,這時天空接近全黑,天上只有星星及月亮作為照明。天文曙暮光是黑夜和白天的分界。

以香港的元旦為例,民用曙暮光為 24 分鐘,航海曙暮光為 52 分鐘,天文曙暮光為 80 分鐘,因此如要觀賞日出,我們應於早上 5 時 43 分前到達觀賞地點準備。如果想拍攝天亮前的星空,到達時間要更早。

我們確定了地點及時間後,還要留意天氣情況。香港冬季大氣比較穩定,晚間經常形成層雲,日出後才消散。有時亦會於低空形成薄霧或煙霞,影響觀賞日出。

2015 年 1 月 1 日於港島鶴咀拍攝之日出

延伸閱讀

1　香港日出、日落及曙暮光時間:https://www.timeanddate.com/sun/hong-kong/hong-kong

中秋節的月亮是最圓的嗎？

　　太陽系中，地球圍繞太陽公轉，月球圍繞地球公轉。當太陽、月亮和地球排成一直線，月亮被太陽照射的一方背向地球，在地球上看不到月亮，稱為「朔」；當太陽、地球和月亮排成一直線，月亮被完全照亮，在地球看到最圓的月亮，稱為「望」。

　　陰曆曆法把兩個「朔」之間的時間定為 1 個月，時間約為 29 日 12 小時 44 分 3 秒，稱為「朔望月」。把「朔」定為初一，由「朔」至「望」是上半月，由「望」至下一個「朔」為下半月。

　　由於月亮圍繞地球公轉的速度時快時慢，最長和最短的朔望月可以相差 13 小時，「望」的時間亦不固定。假如月亮上半月走得較慢，「望」就會較遲出現，可能在初十六，甚至初十七，而不是初十五。俗語說「十五的月亮十六圓」就是這個道理。事實上「望」出現在初十七並不罕見，過去 5 年差不多每年都有 3 次。

　　根據香港天文台的紀錄，在過去 30 年的中秋節，其中有 19 年錄得雨量，因此中秋節有雨的機會超過 50%。假如當天季候風並不明顯，香港日間受海風（由海洋吹向陸地的風）影響，晚間受陸風（由陸地吹向海洋的風）影響，海陸風相遇的地方就可能產生對流及降雨。2002 年中秋節午夜過後，香港受雷暴及大雨影響，天文台錄得 83 毫米雨量，大批市民被困戶外地區，險象環生。由於中秋節翌日是公眾假期，市民多數盡慶而歸，因此大家外出前要留意天氣情況。

香港維多利亞港上的滿月

局部地區性驟雨

夏天天氣報告經常預測有局部地區性驟雨,究竟是真的嗎?

顧名思義,驟雨是短暫的降雨,是因為大氣不穩定,空氣上升令水汽凝結再變為雨落下而產生。香港夏天的大氣幾乎每天都處於不穩定狀態,只要空氣上升就會產生驟雨。而令空氣上升的其中一個機制就是透過太陽照射。

香港不可能各區都萬里無雲。沒有雲的地區受太陽照射,氣溫迅速上升,接近地面的空氣受熱變輕,上升形成棉花般的積雲(cumulus, Cu)。積雲的發展在中午前變得活躍,形成一個個的雲塔,稱為塔狀積雲(towering cumulus, TCu)。

赤鱲角機場的驟雨

塔狀積雲內的空氣運動非常劇烈，飛機不會進入塔狀積雲內，以免遇到湍流及其他危險。當塔狀積雲繼續發展，厚度增加令陽光無法穿透，雲底會轉黑，表示即將下雨。

驟雨開始後能見度會轉差，遠處看白濛濛一片，此時要留意驟雨區是否接近還是遠離，及早做好準備。驟雨停止後，地面的氣溫稍為降低，空氣上升運動減弱，塔狀積雲便瓦解，重見陽光。由於整個過程只發生在局部地區，所以稱為局部地區性驟雨（isolated shower），亦可稱為對流雨（convectional rain）。

現時科技無法預測局部地區性驟雨發生的位置，但新界地區下午氣溫一般較高，空氣上升比較活躍，較容易形成驟雨。香港天文台的天氣雷達可以監測局部地區性驟雨的形成、移動和消散，因此戶外工作或活動的朋友可善用此資訊。

此外，有時乘車上山，會發現山上天色陰暗，回到山腳卻藍天白雲。如果從遠處看，會發現山頂附近總被雲層覆蓋，這種雲的形成跟地形有關。當風吹向山時，由於被山阻擋，只能沿著山勢上升，過程中空氣冷卻形成雲。當這些雲發展到一定程度時亦會出現驟雨，這種雨稱為地形雨（orographic precipitation）。

下次當你乘車由彩虹往西貢，或由梅窩往大澳，在經過山區時不妨留意一下沿途天空的變化。

厄爾尼諾現象

每隔數年，厄爾尼諾現象就會出現，影響全球天氣。

簡單來說，厄爾尼諾（El Niño）是指以赤道為軸線，東太平洋海水溫度出現異常，繼而影響全球天氣的現象。在正常情況下，南美洲西岸對開的東太平洋海水溫度較低，冷水由深處上升至海洋表面，提供養分給魚類，因此該處是漁民捕魚熱點。

但每隔 2 至 7 年，這個情況會逆轉。東太平洋海水變暖，冷水無法由深處上升提供養分給魚類，漁獲減少。由於這股暖流通常出現於聖誕節後，當地人稱為 El Niño，即聖嬰。因此厄爾尼諾現象又稱為聖嬰現象。

溫暖的海水隨著東南風由東太平洋流向中太平洋，造成大面積海面升溫。近年較嚴重的厄爾尼諾現象發生於 1997 至 1998 年，當時整個赤道東太平洋海水溫度比正常高 4 至 5 度。

海洋和大氣關係息息相關。海水變暖引致對流活動增加，雲量及雨量上升，大氣環流亦產生改變。1997 年厄爾尼諾現象發生時，赤道東太平洋及中太平洋地區大量降雨；相反澳洲、印尼卻出現嚴重乾旱，最後引致山林大火。

海洋和大氣關係密切，海水溫度轉變引致大氣環流改變，繼而影響全球天氣。當厄爾尼諾現象發生時，西太平洋空氣下沉，對流活動減少；中太平洋及東太平洋空氣上升，對流活動增加。這個轉變引致澳洲、印尼、菲律賓等國家出現乾旱，而中太平洋及南美洲降雨增加，甚至出現水災。西太平洋的熱帶氣旋活動亦因對流活動減弱而減少，熱帶氣旋位置東移，對香港的威脅因而減少。

根據香港天文台研究，當厄爾尼諾現象形成後，香港冬季平均氣溫偏高，雨量亦較正常為多。到了春季，氣溫偏高的情況開始緩和，但雨量仍然較正常為多。西太平洋全年熱帶氣旋數目較正常為少，而且由於位置東移，熱帶氣旋開始影響香港的時間亦會延遲。在正常情況下，每年第一個影響香港的熱帶氣旋多在 6 月出現。

雖然厄爾尼諾現象令香港冬季平均氣溫偏高、熱帶氣旋數目減少，但這並不代表極端天氣不會出現，我們不能掉以輕心。舉例說，2009 至 2010 年為厄爾尼諾年，但 2009 年 11 月天文台已錄得 9.7 度的最低氣溫。1997 至 1998 年為近年最強的厄爾尼諾年，1997 年只有 2 個熱帶氣旋影響香港，但當中颱風維克托在香港登陸，令天文台懸掛九號風球。

香港有感地震統計

2020 年 1 月，珠江口發生 3.4 級地震，港澳地區超過 1,000 名市民感受到震動。香港每年感受到的地震有多少次？

地震的源頭稱為震源（hypocenter），一般在地面下若干深度，由該點垂直向上與地面相交的點稱為震中（epicenter）。

地震是能量的釋放，以震級（magnitude）來量度。常用的單位為黎克特制震級（Richter scale），每相差一個震級，能量相差 32 倍。因此 7 級地震釋放的能量是 6 級地震的 32 倍。根據美國地質局的紀錄，全球最強的地震是 1960 年智利的 9.5 級地震。而近年亦發生了 2 次 9 級以上的地震，分別是 2004 年印尼的 9.1 級地震和 2011 年日本的 9 級地震。一般來說，7 級以上的地震可造成嚴重破壞，8 級以上的地震可引發海嘯。

地震的破壞程度以烈度（intensity）表示，以觀察及市民報告來界定。常用的單位為修訂麥加利烈度（modified Mercalli scale），由 I 至 XII 度。每次地震的震級只有一個，但破壞程度受震中距離及地質結構影響，因此不同地方感受的烈度並不相同。香港在這次河源地震中感受的烈度為 III 度。

留意在不同的華語地區，地震術語有少許差異。例如震中又稱震央、震級又稱規模、烈度又稱震度、黎克特制震級又稱芮氏或里氏規模。

日期	震中地點	地震震級	與香港天文台方位及距離	香港的地震烈度	市民報告有感地震數目*
2000 年 6 月 11 日	台灣中部	6.4	東 740 公里	III-IV	5
2002 年 3 月 31 日	台灣以東海域	7.4	東北偏東 850 公里	III-IV	15
2003 年 12 月 10 日	台灣東南海域	6.8	東 740 公里	III-IV	13
2006 年 9 月 14 日	擔桿島海域	3.5	南 36 公里	IV	200+
2006 年 12 月 26 日	台灣南部附近海域	7.2	東 660 公里	III-IV	300+
2010 年 11 月 19 日	深圳后海灣	2.8	西北 31 公里	IV	100+
2015 年 9 月 24 日	廣東陸豐	3.8	東北偏東 180 公里	IV	70+
2016 年 2 月 6 日	台灣南部	6.5	東 650 公里	IV	100+
2018 年 11 月 26 日	台灣海峽	5.9	東北偏東 470 公里	IV	1000+
2020 年 1 月 5 日	珠江口珠海市香洲區海域	3.4	西南 41 公里	IV	1200+

* 2012 年 10 月開始包括網上地震感覺報告

香港近年較強的有感地震紀錄（資料來源：香港天文台）

雖然香港並非位於地震帶，但我們仍會感受到鄰近地區的地震，稱為有感地震。根據香港天文台紀錄，香港每年大約發生 2 次有感地震，烈度多為修訂麥加利烈度 III 至 IV 度。最強的一次是 1918 年汕頭附近的地震，香港感受到的烈度為 VI 至 VII 度，部分建築物出現裂痕。而近年最強的 1 次是 1994 年台灣海峽南部的地震，香港感受到的烈度為 V 至 VI 度，除了懸掛的物件擺動外，架上及牆上的物件會倒下，開口容器內的液體濺出，小部分建築物出現裂痕。當時在中環的上班一族，紛紛走到街上。

大地震發生前，附近板塊活動會變得活躍，可能出現多次小規模的地震。假如地震屬於海洋淺層地震（例如深度少於 30 公里），而強度達 8 級或以上，可能引發海嘯。

延伸閱讀

1　美國地質局全球最強地震紀錄：https://www.usgs.gov/natural-hazards/earthquake-hazards/science/20-largest-earthquakes-world
2　香港有感地震紀錄：http://www.weather.gov.hk/tc/gts/equake/79felt.htm
3　美國地質局全球地震消息：http://earthquake.usgs.gov/earthquakes/map/
4　中國地震台網地震消息：http://news.ceic.ac.cn/index.html
5　美國海嘯警報系統：http://www.tsunami.gov/
6　修訂麥加利地震烈度表：https://www.weather.gov.hk/tc/gts/equake/mms.htm

酷熱天氣的指標

　　為甚麼歐洲的 35 度比香港感覺舒適？有甚麼因素影響我們對酷熱的感覺？

　　暑假是旅遊季節，到過外地旅遊的朋友可能都有以上感覺。換句話說，氣溫並不能反映酷熱的程度。

　　人體對酷熱的感覺，受氣溫、相對濕度、風和日照影響。在濕度高的日子，由於皮膚上的水分較難蒸發，因此感覺較「悶熱」，假如氣溫不斷上升，戶外活動時又無法透過休息、喝水、穿著鬆身衣服、減少在陽光下曝曬等方法有效降溫，就有機會出現體溫過高、熱衰竭，甚至中暑的現象。

　　有見及此，美國國家氣象局（National Weather Service）進行研究，並根據氣溫及濕度制定酷熱指數（heat index）。當酷熱指數超過 40 度時，有機會出現熱衰竭；當指數超過 55 度時，隨時會出現中暑。

酷熱指數表

相對濕度（%） 氣溫（℃）	50	55	60	65	70	75	80	85	90	95	100
28	28.2	28.6	29.1	29.7	30.2	30.9	31.6	32.3	33.1	33.9	34.7
29	29.5	30.1	30.8	31.6	32.5	33.4	34.4	35.5	36.7	37.9	39.3
30	31.0	31.9	32.8	33.9	35.0	36.3	37.7	39.1	40.7	42.4	44.2
31	31.9	32.9	33.9	35.1	36.4	37.9	39.4	41.1	42.9	44.8	46.8
32	33.8	35.0	36.3	37.8	39.4	41.2	43.2	45.3	47.5	49.9	52.4
33	35.8	37.3	39.0	40.8	42.8	44.9	47.3	49.8	52.5	55.4	58.4
34	38.2	39.9	41.9	44.0	46.4	49.0	51.7	54.7	57.9	61.3	64.8
35	40.7	42.7	45.1	47.6	50.3	53.3	56.5	60.0	63.7	67.6	71.7
36	42.0	44.3	46.7	49.5	52.4	55.6	59.1	62.8	66.7	70.9	75.3
37	44.9	47.5	50.3	53.4	56.8	60.5	64.4	68.6	73.1	77.8	82.8
38	48.0	50.9	54.2	57.7	61.5	65.7	70.1	74.8	79.8	85.1	90.7
39	51.3	54.6	58.3	62.3	66.6	71.2	76.1	81.4	87.0	92.9	99.1
40	54.8	58.5	62.6	67.1	71.9	77.0	82.5	88.3	94.5	101.0	107.9

資料來源：美國國家氣象局

另一方面，2008 年香港舉行奧運馬術比賽，香港天文台研發了一套暑熱壓力計，量度氣溫、相對濕度及日照，並計算濕球黑球溫度（wet bulb globe temperature, WBGT）。濕球黑球溫度是符合 ISO 7243 國際標準的酷熱天氣指標，在職業安全、體育及軍事上均有一定重要性，例如當指標超過 31 度時，戶外體育及軍事活動就會受到影響，部分國家會要求暫停活動或增加休息時間比重。然而香港仍然未有採用此標準。

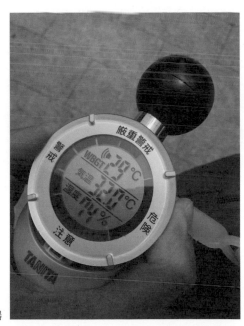

量度濕球黑球溫度的儀器

香港的冬天感覺比較冷？

朋友外遊回來，問：「為甚麼當地氣溫比香港低，但並不感到冷，反而回到香港感覺更冷？」相信不少人也有類似經驗。

香港天文台的氣溫術語中，氣溫在 8 至 12 度稱為「寒冷」，氣溫在 7 度或以下稱為「嚴寒」。當天文台預料市區氣溫跌至 12 度或以下時，便會考慮發出寒冷天氣警告，呼籲市民提高警惕，注意保暖及提防寒冷天氣影響健康。

值得留意的是，市區氣溫往往跟新界有差異（有時甚至相差 5 度以上），即使天文台未有發出寒冷天氣警告，新界往往已受寒冷天氣影響。因此市民應留意身處地方的氣溫變化，不要過分依賴警告。

我們對冷熱的感覺，除氣溫外，也受風速、相對濕度及日照影響。我們體外有一層暖空氣保護，大風的時候，風把這層暖空氣吹走，身體便感覺寒冷。冬季美國及加拿大經常刮起大風，風速有時達烈風程度（相當於八號風球），因此當局利用氣溫及風速制定風寒指數（wind chill index），表示在特定的氣溫及風速下，人體感受的溫度。當風寒指數偏低（例如低於零下 25 度）時，市民應避免長時間暴露於戶外，以免皮膚凍傷或體溫過低造成危險。

風寒指數表

風速 (km/h) 氣溫 (℃)	5	10	15	20	25	30	35	40	45	50
12	11.7	10.6	10.0	9.5	9.1	8.8	8.5	8.2	8.0	7.8
11	10.4	9.3	8.6	8.1	7.7	7.3	7.0	6.7	6.5	6.3
10	9.8	8.6	7.9	7.4	7.0	6.6	6.3	6.0	5.7	5.5
9	8.5	7.3	6.6	6.0	5.5	5.1	4.8	4.5	4.2	4.0
8	7.2	6.0	5.2	4.6	4.1	3.7	3.3	3.0	2.7	2.5
7	6.0	4.7	3.8	3.2	2.7	2.2	1.9	1.5	1.2	1.0
6	4.7	3.3	2.4	1.8	1.2	0.8	0.4	0.0	-0.3	-0.6
5	4.1	2.7	1.8	1.1	0.5	0.1	-0.3	-0.7	-1.0	-1.3
4	2.8	1.3	0.4	-0.3	-0.9	-1.4	-1.8	-2.2	-2.5	-2.8
3	1.6	0.0	-1.0	-1.7	-2.3	-2.8	-3.3	-3.7	-4.0	-4.3
2	0.3	-1.3	-2.3	-3.1	-3.7	-4.3	-4.7	-5.1	-5.5	-5.9
1	-0.9	-2.6	-3.7	-4.5	-5.2	-5.7	-6.2	-6.6	-7.0	-7.4
0	-1.6	-3.3	-4.4	-5.2	-5.9	-6.5	-6.9	-7.4	-7.8	-8.1

資料來源：美國國家氣象局

　　此外，相對濕度也會影響人的感覺。冬季相對濕度偏高的日子，由於空氣中有較多水汽，蒸發時將皮膚的熱量帶走，身體亦會感覺較冷。大家可以做個實驗：在寒冷的日子洗手後不抹乾，雙手很快便會變得冰冷。

　　冬季寒潮南下時，假如冷空氣比較薄，天氣將持續多雲甚至有雨，感覺相當寒冷，我們稱為「濕凍」。相反假如冷空氣比較厚，天氣將轉晴，日間天氣乾燥。由於有陽光的關係，人的感覺沒那麼冷，我們稱為「乾凍」。但日落後氣溫會迅速下降，不能鬆懈。

乾凍與濕凍

　　香港冬季不時受寒潮南下影響，俗稱「翻風」。但每次天氣都不一樣，有時天晴乾燥，有時卻密雲有雨。究竟是甚麼原因？

　　秋季開始，北方地區開始轉冷，氣溫下降，空氣下沉至地面並累積起來，形成高氣壓。高氣壓中心一般在西伯利亞，當冷空氣累積至一定程度時，就會如洪水氾濫般大舉南下，稱為寒潮爆發。寒潮經過的地方，氣溫可以在 24 小時內下跌超過 10 度。

　　高氣壓中心隨著寒潮南下向南移，假如高氣壓中心移至香港以北，香港將會吹北風，稱為北風潮（northerly surge）；假如高氣壓中心移至上海附近（即香港東北時），香港將會吹東風，稱為東風潮（easterly surge）。

　　北風潮影響香港的時候，天氣一般天晴乾燥，即所謂「乾凍」，人感覺比較舒適，日間進行戶外活動也不太冷。而東風潮影響香港的時候，天氣一般多雲有雨，風勢頗大，即所謂「濕凍」，人感覺較為寒冷。然而有時北風潮下天氣一樣多雲有雨，這跟冷空氣的強度有關。

影響華南的冷空氣有不同強度，取決於北風的厚度。冷空氣強的時候，北風比較厚，地面和高空均吹北風；冷空氣弱的時候，北風比較薄，雖然地面吹北風，但高空卻吹南風。由於南風來自海洋，比北風溫暖及潮濕，當兩者相遇時，便會形成對流產生雲和雨。

　　在盛冬（11月及12月），冷空氣一般比較強，因此地面及高空風向一致，北風潮多數帶來晴朗天氣。在冬末（1月及2月），華南沿岸上空開始受海洋性氣流影響，轉吹南風，此時南下的冷空氣亦比較弱，於是出現地面吹北風、高空吹南風的情況，帶來陰雨天氣的次數增多。

　　要查閱高空的風向，便要看高空天氣圖，詳情可參考天文台網站。

漫談紫外線

香港夏季天氣炎熱，陽光普照，你有做好防曬措施嗎？

猛烈的陽光中包含紫外線，可以對人體造成傷害。紫外線可根據波長及能量分為 A、B、C 三種，而大氣的臭氧層（ozone layer）有吸收紫外線的功能。其中紫外線 A（UVA）不能被臭氧層吸收，紫外線 B（UVB）部分被臭氧層吸收，紫外線 C（UVC）全部被臭氧層吸收。到達地面的紫外線中，紫外線 A 佔 98%，紫外線 B 佔 2%。

紫外線 B 令皮膚變紅及變黑，紫外線 A 令皮膚出現皺紋、老化及黑斑，並可引致癌症。市面上的防曬用品（例如太陽油）對紫外線 B 提供不同程度的保護，以防曬系數（Sun Protection Factor, SPF）來區分。假如在太陽下曝曬 20 分鐘皮膚就會變紅，使用 SPF 15 的防曬用品，時間理論上可延長至 300 分鐘（15 倍）。然而各人皮膚性質不同，較易曬傷的人應使用較高 SPF 的防曬用品。此外，SPF 15 大約阻擋 93%（14/15）的紫外線 B，SPF 30 大約阻擋 97%（29/30）的紫外線 B，SPF 50 大約阻擋 98%（49/50）的紫外線 B，差別並非倍數關係。

防曬用品上亦印有對紫外線 A 提供保護的程度，以防護等級（Protection Grade of UVA, PA）來表示，分為 PA+、PA++ 及 PA+++。+ 號愈多，表示對紫外線 A 提供保護的程度愈大，購買時可用作參考。

紫外線的強度受太陽位置（直射或斜射）、臭氧量、天氣（雲、雨、霧或煙霞）、地面反射及海拔高度影響，香港天文台在京士柏氣象站設立儀器量度紫外線強度，並制定紫外線指數（UV index），每日在網上公佈實時數據並提供翌日預測 [1]。紫外線指數分為五級：低（0-2），中（3-5），高（6-7），甚高（8-10），極高（11或以上）。夏天香港的紫外線指數經常在極高水平，因此外出及進行戶外活動時，必須採取適當的防曬措施，例如：

1. 留在有遮蔽的地方
2. 避免在上午 10 時至下午 3 時進行戶外活動
3. 在皮膚塗上太陽油或防曬用品，並定時（尤其於出汗或游泳後）再次塗上
4. 戴上闊邊的帽子及穿長袖衣服
5. 使用傘子
6. 使用可以阻隔紫外線的太陽眼鏡

參考資料

1　香港天文台紫外線指數網頁：http://www.weather.gov.hk/tc/wxinfo/uvinfo/uvinfo.html

冷鋒過境時的天氣變化

　　2014 年 2 月 18 日冷鋒橫過香港，香港天文台氣溫在 2 小時內下跌了 7 度。除了氣溫下降外，冷鋒過境時天氣還有甚麼變化？

　　冷鋒是北方的冷氣團南下，與南方的暖氣團相遇形成的交界面。冷鋒會帶來寒冷的北風，但寫成「冷風」並不正確。雖然立春已過，但北方的冷空氣仍然強盛，當累積至一定程度後，便會如洪水決堤般南下，所到之處出現急劇天氣轉變。由於冷暖空氣相遇時，暖空氣密度較小，上升冷卻形成雲及雨。假如暖空氣上升迅速，更會形成雷暴，出現春雷。春夏之間，華南地區的海洋性氣流變得活躍，暖空氣非常溫暖潮濕，提供急劇上升的條件，有時更會形成冰雹，甚至龍捲風。

　　冷鋒一般由西北向東南橫過香港，因此新界西部及大嶼山會首先出現天氣變化。風向會轉為西北風，風力增強，氣溫下降，我們可留意流浮山、屯門、赤鱲角等氣象站的天氣轉變。當日冷鋒開始橫過香港時，赤鱲角氣溫與新界東部將軍澳的氣溫一度相差達 8 度。

　　另一方面，由於冷鋒過境時地面轉冷，上空變得較暖，形成逆溫層（inversion layer），空氣中的污染物無法散去，天空會變成黃色，表示空氣質素轉差。當日下午屯門、荃灣、東涌的空氣質素健康指數一度上升至 8 至 9 的「甚高」水平，而屯門的 PM2.5（直徑小於 2.5 微米的懸浮粒子）濃度更一度急升。

冷鋒經過之處，除了氣溫、風及空氣質素出現變化外，濕度亦會下降，氣壓上升。如果我們身處空曠地方，可以看到冷鋒過境時的天空變化。下圖為一次冷鋒橫過赤鱲角機場時的過程。我們可以看到卷軸狀的雲帶由遠處移近，代表冷暖空氣的交界面，當冷鋒橫過時，能見度降低，如同進入霧中。

冷鋒橫過赤鱲角機場

倒春寒

　　3月是春天的開始，氣溫普遍回升至20度以上，新界地區日間甚至可以上升至接近30度，但有時北方的冷空氣仍然會南下影響香港，出現寒冷的天氣，這個現象在民間俗稱為「倒春寒」，對人的健康及農作物生長均有影響。

　　一般來説，「倒春寒」出現在3至5月，中國不同省份有不同標準，例如雲南省3月連續4日平均氣溫低於正常超過6度時，就稱為「倒春寒」。香港沒有「倒春寒」的標準，但翻查紀錄香港天文台在3月（甚至4月）發出寒冷天氣警告的次數也不少（可參考P.47的表）。

　　「倒春寒」出現時，由於日間相當溫暖，因此冷空氣到達後氣溫便出現急降，24小時內可以下跌超過10度。此外溫暖潮濕的空氣中有大量水汽，遇冷後會產生大範圍降雨，甚至會出現雷暴。這跟冬天天氣轉冷時有些分別。

　　每逢天氣轉冷，長者及長期病患者的熱平衡能力較差，皮膚及神經系統受寒冷天氣刺激後可能出現血管收縮，血壓上升，引致腦部及心臟無法負荷，導致高血壓、動脈硬化、中風、心絞痛及心肌梗塞等問題，甚至死亡。外國有實驗測試將一群長者安置在室溫6度的環境

下，2小時後長者血壓平均上升25毫米汞柱。而在相同的環境下，年輕人的血壓並沒有出現明顯上升。因此在寒冷天氣下，長者應該減少出門次數，即使要出門，也要穿著足夠衣物並戴上帽子及手套以減少冷空氣帶來的刺激。而天氣轉冷亦會令細菌及病毒乘虛而入，呼吸系統疾病（例如流感及肺炎）變得活躍，因此一般市民亦應留意天氣變化，注意穿衣以免著涼。日常要保持室內環境通風，進行適當戶外活動，呼吸新鮮空氣，加強心肺功能。每日多喝水，保持血液暢通及預防呼吸道疾病。

霧霾天氣與空氣污染

近年華北及廣東常常出現霧霾天氣，引致空氣質素轉差，兩者有沒有關係？

霧和霾（粵音「埋」，香港天文台稱為煙霞，為世界氣象組織用語）都是大氣穩定時常見的天氣現象，前者是空氣中的水滴影響能見度，多發生在濕度較高的情況；後者是空氣中的固體微粒影響能見度，多發生在濕度較低的情況。

大氣的穩定性取決於氣溫的垂直分佈，正常情況下，高度愈高，氣溫愈低，空氣上升，污染物可以擴散；但某些情況下，高空的氣溫反而比地面高，形成穩定狀態，空氣無法上升，污染物被困在地面。

隨著人類經濟活動的發展，經燃料燃燒、工業生產等排放的污染物愈來愈多，這些污染物主要有二氧化硫、二氧化氮、一氧化碳、臭氧及可吸入懸浮粒子。其中二氧化硫及二氧化氮屬酸性氣體，可溶於雨水形成酸雨，影響農作物及建築。

至於可吸入懸浮粒子則按固體微粒大小可分為直徑小於 10 微米的 PM10（particulate matter），可以經呼吸進入肺部；以及直徑小於 2.5 微米的 PM2.5，可以穿過肺部進入血管。PM2.5 對呼吸系統及心肺健康的影響比 PM10 更大。香港大學有研究表示，空氣污染除引致死亡率上升及醫療系統壓力增加外，亦會帶來經濟損失。

聯合國世界衛生組織（World Health Organization, WHO）的空氣質素指引相當嚴苛[1]，不同國家及地區則以不同理由（包括政治）設立當地的空氣污染指標。例如美國將污染物濃度轉換成空氣質量指數（Air Quality Index, AQI）[2]，而香港環境保護署則將污染物的濃度合併考慮轉換成空氣質素健康指數（Air Quality Health Index, AQHI）[3]。根據世界衛生組織的標準，香港的空氣質素長期不達標。

香港空氣污染的源頭有三：一、本地污染，主要來自汽車的廢氣排放及使用化石燃料發電產生的氣體；二、跨境污染，例如跨境汽車使用低規格燃料產生的廢氣；三、珠三角地區工業發展產生的污染，受風向及天氣情況而影響香港。而華北地區的污染一般較難到達香港。

現今資訊發達，市民可自行上網了解及比較世界各地的空氣質素[4]。在空氣嚴重污染期間，市民應避免在戶外長時間逗留，並減少劇烈活動。患有呼吸道及心肺疾病的人士、老人及長期病患者更應留在室內，並注意身體狀況的變化。

參考資料

1 聯合國世界衛生組織空氣質素指引：http://www.who.int/phe/health_topics/outdoorair/outdoorair_aqg/en/
2 美國空氣質量指數（AQI）：https://www.airnow.gov/aqi/aqi-basics/
3 香港空氣質素健康指數（AQHI）：http://www.aqhi.gov.hk/tc.html
4 世界各地實時空氣質素：http://aqicn.org/map/world/

飛行時遇到氣流怎麼辦？

　　颱風鮎魚吹襲台灣，部分航班照常運作。有乘客投訴飛機遇上猛烈氣流（或稱湍流，turbulence），多人不適甚至有人暈倒。究竟甚麼是湍流？如何減少湍流對我們的影響？

　　飛機在天空中飛翔，有如小船在河流上航行。速度愈快，出現顛簸的機會愈高。空氣流動受各種因素影響（例如地形或障礙物、空氣不均勻受熱、濕度、天氣等）。天氣產生的湍流可透過飛行雷達偵測，但有些湍流在雷達上是看不見的：

1. 晴空湍流（clear-air turbulence, CAT）

顧名思義，晴空湍流出現時天氣晴朗，雷達上沒有顯示。晴空湍流多數出現在高空大風區（即急流）的出入口，及溫度出現明顯變化的區域（例如鋒面）。根據香港天文台統計，香港鄰近區域每年約有 15 日收到晴空湍流的報告，多數在 12 月至 2 月的冬季發生。

2. 尾流（wake turbulence）

尾流是指飛機飛行時，因空氣由下至上流過機翼產生渦旋氣流（或稱翼尖渦流，wingtip vortex），影響尾隨飛機的飛行。飛機體積愈大，產生的翼尖渦流愈強，持續時間可達數分鐘。假如飛機在升降時遇到尾流，可能會因失控而墜毀。因此機場控制塔對航班升降的時間有嚴格規定，確保飛機之間有足夠距離。

3. 山岳波（mountain wave）

空氣流過高山時，由於地形起伏，會在背風坡產生渦旋，形成湍流。因此飛機飛行時會避免太貼近山頂，並留意莢狀雲的出現。

一般情況下，高空湍流只會令飛機出現短暫顛簸，不會構成危險。有些人害怕飛行，甚至患上「飛行恐懼症」，原因與飛機下跌時，大腦釋放出壓力荷爾蒙造成恐懼感有關。透過了解飛行原理、察覺及控制飛行期間身體對聲音及飛機運動作出的反應，有助減少對飛行的恐懼。

至於如何減少湍流對我們的影響？專家提出三個建議：

1. 選擇接近機翼或飛機前端的座位，因為飛機後端較易受湍流影響。

2. 平日乘車時閉上眼睛感受顛簸的情況，克服恐懼。

3. 夏季選擇較早的航班出發，避免強烈日照令空氣受熱不均勻產生湍流。

第三章

颱風

颱風、颶風與氣旋

　　颱風（typhoon）、颶風（hurricane）與氣旋（cyclone）是新聞報道經常出現的詞語，他們均指在熱帶海洋上出現的強烈低氣壓。颱風是指西太平洋出現的低氣壓，颶風是指在北大西洋及東太平洋出現的低氣壓，氣旋是指在印度洋及澳洲海域出現的低氣壓。在北半球，低氣壓中心的風以逆時針旋轉，在南半球則相反。

　　颱風、颶風及氣旋三者本質相同，均屬熱帶氣旋，影響範圍可達數百至 1,000 公里，為經過的地方帶來強風、暴雨及風暴潮（storm surge）。風暴潮是指當熱帶氣旋接近岸邊時，海面水位突然上升的現象，有如海嘯。但海嘯是由地震引起，風暴潮則由熱帶氣旋引起。

　　不同區域的熱帶氣旋有不同的強度分級及命名，較弱的我們稱為熱帶風暴（tropical storm），較強的才稱為颱風或颶風。西太平洋是全球熱帶氣旋活動最頻繁的地區，平均每年有 30 個熱帶氣旋形成。

　　在冬季，日本、英國及美國等地區經常受大風雪影響，導致交通中斷或電力停頓，相關的天氣系統我們稱為溫帶氣旋（extratropical cyclone）。溫帶氣旋多數影響中緯度的溫帶地區，除了引致大範圍

（可超過 1,000 公里）持續降雨或降雪外，風力有時可以跟颱風或颶風媲美。當熱帶氣旋移向中緯度地區時，結構會出現轉變，由熱帶氣旋逐漸轉化為溫帶氣旋。

　　至於春夏交替時在美國出現的龍捲風（tornado），也是強烈低氣壓的一種，風力比颱風或颶風更強，但影響範圍只有數百米至數公里。龍捲風形成前，天空會出現旋轉的雲，由雲底伸向地面，稱為漏斗雲（funnel cloud）。當漏斗雲接觸陸地時，我們稱為龍捲風；當漏斗雲接觸水面時，我們稱為水龍捲（waterspout）。龍捲風亦可根據風力分為不同等級。

颱風如何被命名

　　西太平洋及南中國海是全球熱帶氣旋活動最頻繁的地區，根據香港天文台統計，每年平均有 30 個熱帶氣旋形成，其中 15 個達颱風程度。現時天文台採用的熱帶氣旋分級如下：

分級	中心附近最高持續風力 （公里／小時）	對應的 蒲福氏風級
熱帶低氣壓	62 或以下	6-7
熱帶風暴	63-87	8-9
強烈熱帶風暴	88-117	10-11
颱風	118-149	12-13 *
強颱風	150-184	14-15 *
超強颱風	185 或以上	16-17 *

* 蒲福氏風級原為 0-12 級，部分地區（包括中國及台灣）修訂為 0-17 級
（資料來源：香港天文台 / 中國氣象局）

　　當熱帶氣旋增強為熱帶風暴時，為方便信息發放及避免同一時間有 2 個或以上熱帶氣旋會造成混亂，熱帶氣旋會被命名。1947 至 1978 年，西太平洋的熱帶氣旋由美國聯合颱風警報中心（Joint Typhoon Warning Center）負責命名，並且只有女性名字，因此上一代談及打風時，常以「風姐」稱呼熱帶氣旋，直至 1979 年才開始加入男性名字。自 2000 年開始，熱帶氣旋的名字及命名權出現改變，

名字由聯合國世界氣象組織屬下的颱風委員會 14 個成員提供，並不限於人名，而命名則改由日本氣象廳負責。當日本氣象廳把熱帶氣旋升格為熱帶風暴時，便會按名單給予英文名字。港澳及內地則有一套共識的中文名字，台灣自行翻譯另一套中文名字（可以相同或不同）。菲律賓則有一套本地使用的名稱。

除了統一命名外，個別國家亦會對熱帶氣旋進行編號。當熱帶氣旋形成時，美國聯合颱風警報中心會進行編號（例如 01W）。而當熱帶氣旋進一步增強為熱帶風暴時，中國中央氣象台及日本氣象廳亦會進行編號（例如第 1 號熱帶風暴及 1401）。

不過，不同氣象機構對熱帶氣旋中心風力評估不同，因此命名及進行編號的時間會出現差異。由於命名權由日本氣象廳擁有，其他氣象機構不得擅自命名，因此天文台的天氣報告有時會出現有名字的熱帶低氣壓或沒有名字的熱帶風暴。

延伸閱讀

1　蒲福氏風級：http://typhoon.ws/learn/reference/beaufort_scale
2　聯合國世界氣象組織颱風委員會：http://www.typhooncommittee.org/
3　2019 年西北太平洋及南中國海熱帶氣旋名字：http://www.weather.gov.hk/tc/informtc/sound/tcname2019e.htm

「打風不成三日雨」

　　熱帶氣旋是熱帶地區龐大的低壓系統，透過水汽凝結釋放能量，因此經過的地方會出現狂風暴雨。即使熱帶氣旋登陸後減弱，其外圍環流及殘餘部分（俗稱「風尾」）仍會持續帶來大雨，所以有俗語說「打風不成三日雨」，即風暴過後不穩定天氣仍要持續幾天。不過這個說法並非每次正確。

　　熱帶氣旋在海洋中形成，即使直徑達 1,000 公里，跟龐大的副熱帶高壓脊相比，仍然非常渺小，移動亦受副熱帶高壓脊支配。副熱帶高壓脊一般是指副熱帶地區呈長條形分佈的高壓區，在西太平洋又稱為太平洋高壓脊。當高壓脊增強並向西伸展時，熱帶氣旋只能沿著高壓脊的南面移動，於是向西或西北偏西影響菲律賓、廣東、廣西及越南。當高壓脊減弱並向東撤退時，熱帶氣旋初時沿著高壓脊的南面移動，當移至高壓脊的西南面時，就會向北或東北影響琉球、華東、韓國及日本一帶。

　　太平洋高壓脊的強弱是有週期的。

當熱帶氣旋進入南海或在南海形成，假如高壓脊不強，熱帶氣旋會在廣東或福建沿岸登陸。登陸後華南沿岸受偏南氣流影響，這些氣流既潮濕也不穩定，提供降雨的條件，因此即使熱帶氣旋已消散，香港仍然持續有雨，有時甚至引發水災，這就是「打風不成三日雨」的典型例子。

　　相反假如高壓脊一直維持強勢，熱帶氣旋會在廣西或越南沿岸登陸。熱帶氣旋消散後，高壓脊隨即在廣東沿岸重新建立，香港天氣迅速轉晴，不穩定天氣只集中在登陸地點以西，這樣「打風不成三日雨」就不成立。

　　一般而言，當熱帶氣旋在香港以西登陸，代表太平洋高壓脊有一定強度，壞天氣不會持續太久；當熱帶氣旋在香港以東登陸，代表太平洋高壓脊處於弱勢，沿岸地區天氣會持續不穩定。

風球的意義（上）

很多市民只關心香港天文台發出甚麼風球，卻不了解風球的意義及背後暗示。

香港天文台的熱帶氣旋警告系統源於 1884 年，其後於 1917 年起改為採用數字及不同形狀的標誌（包括圓柱形、球形和圓錐形）向漁民及航海人士發出風力警告。最初警告共有 10 個，分別以一至十號風球表示。經過多次修訂後，於 1956 年只剩下一、三、五、六、七、八、九及十號，其中五至八號表示由不同方向吹襲之烈風。為避免市民誤解五至八號風球風力有差異，天文台於 1973 年將五至八號風球統一為八號風球，並以 4 個方向表示，即今日之八號西北、八號西南、八號東北及八號東南風球。

並非每個熱帶氣旋進入本港 800 公里範圍後天文台都會發出一號風球。2006 年天文台將一號風球的定義修訂為「香港境內海域可能吹強風」，這個轉變表示假如熱帶氣旋強度及移動方向不足以令香港境內海域吹強風，天文台將不會發出一號風球。換句話説，當一號風球發出後，市民進行戶外活動（特別是水上活動）時，應考慮天氣及安全因素，因為離岸及高地可能吹強風，海面風浪可能頗大。

三號風球表示預料香港將受強風吹襲。業務運作上，天文台會優先考慮長洲、赤鱲角、西貢及啟德的風力。根據天文台對熱帶氣旋在不同位置時香港錄得之風力統計並加以觀察，當強烈熱帶風暴或以

上強度的熱帶氣旋進入香港西南方 500 至 600 公里時，天文台就會考慮發出三號風球。對於強度較弱的熱帶氣旋（例如熱帶風暴或以下），這個距離大約是 400 至 500 公里。假如熱帶氣旋集結在香港東南方，香港受地形影響，風力較弱或較遲增強，熱帶氣旋可能要進入400 公里內天文台才會考慮發出三號風球。

　　三號風球生效時，市民應該停止水上活動、避免前往高地或離島，因為這些地區可能已受烈風吹襲，海面有大浪，人亦無法站穩。而渡輪及纜車服務可能隨時中止，無須等待天文台發出八號風球。

澳門東望洋燈塔上正懸掛一號風球（相片由 Roy Sit 提供）

風球的意義（下）

　　上文談過香港天文台發出一號及三號風球的準則，本文談最多人關心的八號風球。

　　八號風球全名是八號烈風或暴風信號，顧名思義，需要本港風力預料或達到烈風程度才會發出。熱帶氣旋以中心附近持續風力分為不同等級，由於熱帶低氣壓中心附近持續風力只達強風程度（七級，最高每小時 62 公里），因此即使熱帶低氣壓直趨香港，天文台也無須發出八號風球。

　　熱帶風暴中心附近持續風力達烈風（八至九級，每小時 63 至 87 公里），但最強風力只集中在中心附近數十公里內，因此熱帶風暴中心需要相當接近香港（例如在香港 100 公里內），天文台才會考慮發出八號風球。

　　強烈熱帶風暴及颱風（包括強颱風及超強颱風）對香港的威脅比較大。一般而言，當強烈熱帶風暴或颱風進入香港西南方 150 至 200 公里內時，香港開始受烈風吹襲，天文台需要考慮發出八號風球。但假如熱帶氣旋從香港東南方接近，由於地形影響令風力較弱或較遲增強，因此熱帶氣旋要進入 150 公里內天文台才會考慮發出八號風球。

至於 4 個八號風球有甚麼分別？當熱帶氣旋接近香港，香港一般會吹偏北風。假如熱帶氣旋趨向香港以西，香港會吹東北風；假如熱帶氣旋趨向香港以東，香港會吹西北風。因此當天文台發出八號東北或西北風球時，表示熱帶氣旋對香港威脅仍在，八號風球需要生效一段時間。

　　當熱帶氣旋即將或已經掠過香港，香港會轉吹偏南風。假如熱帶氣旋趨向香港以西，香港風向會順時針轉變，由東北風轉東風再轉東南風；假如熱帶氣旋趨向香港以東，香港風向會逆時針轉變，由西北風轉西風再轉西南風。因此天文台會對應風向轉變改發另一八號風球。當八號東南或西南風球生效時，表示熱帶氣旋對香港威脅開始減退，稍後天文台會改發三號風球。

　　至於九號和十號風球分別表示影響香港的烈風或暴風將會增強和香港風力持續達颶風程度，一般只會在颱風非常接近香港或環流相當大（例如 2018 年山竹），香港風力有機會增強至颶風程度時才會發出。假如風眼掠過香港，香港風力及風向會急劇轉變，不當風的地方會突然變得當風，市民不應鬆懈。當颶風減弱時，天文台會由十號風球改發八號風球，而不是九號風球。

甚麼是風暴潮？

2013 年 11 月，超強颱風海燕橫掃菲律賓，帶來超過每小時 250 公里之風力，當地報道指風暴潮一度達 5 米，將沿岸城市淹浸。究竟甚麼是風暴潮？

熱帶氣旋最危險的地方，除了破壞性風力和持續降雨外，還有風暴潮（storm surge）。風暴潮是指錄得的海平面高度與正常潮汐高度的差距。由於熱帶氣旋是強烈的低氣壓系統，中心氣壓非常低，海平面因而上升。當熱帶氣旋靠近時，如果風由海洋吹向陸地，海水便吹向沿岸地區，造成水浸。假如當時正值漲潮甚至天文大潮，情況會更加嚴重。這次菲律賓風災，颶風將房屋摧毀，居民失去安全地方躲避，風暴潮淹至便造成大量傷亡，官方表示死亡人數可能超過 10,000 人。

風暴潮到達時，海平面會突然上升，把沿岸低窪地區淹浸，有如海嘯，只是成因不同。這次海燕橫掃菲律賓，路過之處變成廢墟，猶如受龍捲風吹襲。從新聞片段可見，記者在街上報道之際，半小時內海水突然淹至，水位更上升至 2 樓，令很多居民無法及時逃生因而罹難，街上佈滿屍體，滿目瘡痍。

2018 年超強颱風山竹襲港，由於山竹採取了偏西路徑，加上環流廣闊及風力強勁，香港多處錄得破紀錄的風暴潮，並造成嚴重水浸。其中鰂魚涌及大埔滘分別錄得 2.35 米及 3.40 米的風暴潮，令整體潮水高度上升至海圖基準面以上 3.88 米及 4.71 米，兩者都僅次於

1962 年的溫黛排第二位。

當預計風暴潮可能發生時，我們必須立即遠離低窪地區，切勿進入地下設施，例如地下停車場，因風暴潮來勢洶洶，水位會急速上升，市民未必有足夠時間離開。2017 年超強颱風天鴿吹襲澳門，由於澳門處於低窪地區，部分市民前往地下停車場取回車輛時被困，結果被風暴潮溺斃。

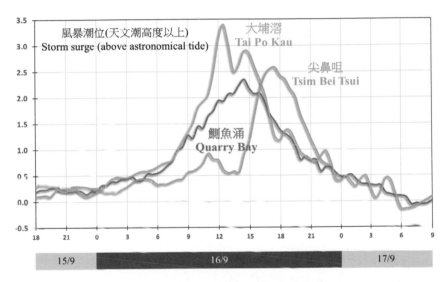

2018 年 9 月 15 至 17 日山竹吹襲香港期間錄得的風暴潮變化（Courtesy of the Hong Kong Observatory of HKSAR）

延伸閱讀

在熱帶氣旋影響香港期間，香港各潮汐測量站所錄得的最高潮位及最大風暴潮：
http://www.weather.gov.hk/tc/wservice/tsheet/pms/stormsurgedb.htm

風球發出的時間可以預測嗎？

　　每次打風，坊間都會流傳香港天文台的風球發出時間表，人人信以為真。其實熱帶氣旋的路徑及強度變化多端，天文台不會冒這個險，但他們內部是有一些準則來決定是否發風球。

　　風球是一個風力警告。當風力達到（或預料達到）某個程度就會發出，並不考慮其他因素，例如雨量、氣壓或潮水高度。那為甚麼有時熱帶氣旋距離香港 800 公里天文台就會發一號風球，有時卻距離 400 公里還不發？

　　由於影響香港的每個熱帶氣旋強度不同，烈風覆蓋範圍不一樣，當較強的熱帶氣旋接近時，香港風力亦會較早增強，因此天文台會提早發出風球提醒市民。此外，熱帶氣旋移動方向也是重要因素，假如直指香港，香港風力將會迅速增強，因此天文台也會提早發出風球。但如果熱帶氣旋較弱或並非直趨本港（例如趨向廣東東部），發風球的時間就會較遲。

　　天文台將過去影響香港的熱帶氣旋依強度分類，再統計熱帶氣旋在不同位置時香港吹強風或烈風的次數製成「等概率線」，表示香港吹強風或烈風的可能性。等概率線並非均勻分佈，西南象限比較大，代表熱帶氣旋在香港西南面較容易引致香港吹強風或烈風。由於等概

率線形似豬腰，因此又俗稱「豬腰圖」。當熱帶氣旋接近時，只要把預測路徑疊加在豬腰圖上，就可以估計香港吹強風或烈風的時間，從而預計發出或取消風球的時間。

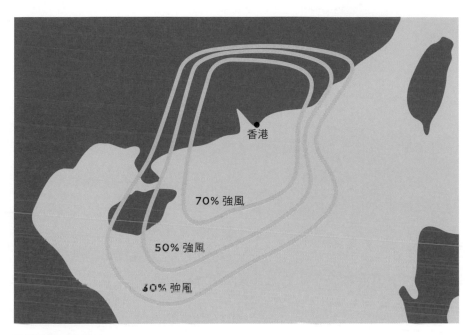

強風豬腰圖的例子

在考慮香港的風力變化時，天文台一般會參考 50% 的豬腰圖。不過假如熱帶氣旋的環流較大或較小，就會採用 30% 或 70% 的豬腰圖。

「李氏力場」再現？

　　近年，每當熱帶氣旋迫近香港，市民就會談及「李氏力場」。「李氏力場」是指熱帶氣旋突然轉向或香港天文台發出熱帶氣旋警告信號的時間與香港某富商有關，旨在令香港經濟活動不受影響。由於「力場論」日漸氾濫，天文台台長更親自跟學生會面解釋疑團。

　　氣象學上，熱帶氣旋突然轉向並非罕見。熱帶氣旋的移動受高空（並非地面）引導氣流影響，當引導氣流改變，熱帶氣旋的移動方向隨即改變。引導氣流受季節及緯度影響，夏季副熱帶高壓籠罩華南地區，由於高壓區內空氣以順時針方向吹出，因此南海北部上空吹東至東南風，熱帶氣旋多向西至西北方向移動。

　　到了秋季，北半球開始降溫，中緯度地區上空西風槽開始活躍。西風槽是一個低壓系統，空氣以逆時針吹入，假如西風槽南下，南海北部上空會轉吹西至西南風。西風槽與副熱帶高壓為敵對關係，當西風槽增強，副熱帶高壓便減弱，引導氣流隨即改變，熱帶氣旋便轉向北甚至東北移動，直撲日本甚至回歸西太平洋。2014 年 9 月熱帶氣旋鳳凰的移動路徑就是一個例子。現時數值天氣預報已能有效監察副熱帶高壓及西風槽的活動，因此雖然鳳凰以西北偏西路徑橫過呂宋進入南海，各預報中心均大膽預測鳳凰將會轉向，而台灣當局更嚴陣以待。

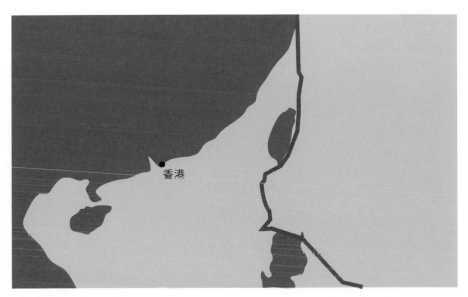

2014 年 9 月熱帶氣旋鳳凰的移動路徑圖

　　夏季大氣環境較為穩定，但秋季開始，副熱帶高壓與西風槽開始角力，影響熱帶氣旋的移動，令預報難度增加，這是真正的「力場比拼」。到了冬季，副熱帶高壓退至西太平洋較東位置，南海北部穩定吹西風，熱帶氣旋進入南海前會轉向或消散。

熱帶氣旋與季風低壓

　　2013 年 6 月，受海南島附近的低壓區影響，香港連場大雨，風勢強勁，猶如打風。但由於低壓區沒有增強為熱帶氣旋，所以香港天文台沒有發出風球。

　　顧名思義，低壓區就是氣壓較四周為低的地區，天氣圖上閉合等壓線包圍的區域。如果低壓區呈長條形分佈，就稱為低壓槽（trough）。

　　低壓區的形成首先由雷暴開始，不穩定大氣加上充足的水汽，產生積雨雲（cumulonimbus）。再加上水平風向配合，北面吹東或東北風，南面吹西或西南風，使氣流呈逆時針旋轉，出現閉合等壓線，便成為低壓區。

　　低壓區能否繼續發展要視乎高空條件是否配合。假如高空出現強風或風向相反，即出現垂直風切變（vertical wind shear），積雨雲頂部被吹走，結構無法維持，低壓區無法進一步發展。相反假如高空吹微風，加上氣流向外四散，形成輻散（divergence），積雨雲持續向上發展並形成螺旋雲帶，便成為熱帶氣旋。

眾所周知，熱帶氣旋中心附近風力最強，外圍風力較弱。2013年6月影響本港的低壓區有一個特點，就是中心風力微弱，外圍風力較強。香港處於低壓區的外圍，因此風勢強勁。這類低壓區稱為季風低壓（monsoon depression），由於並不符合熱帶氣旋的標準，因此天文台沒有升格為熱帶低氣壓，也沒有發出熱帶氣旋警告信號。（但發出強烈季候風信號，表示香港部分地區受強風影響。）

季風低壓在初夏於南海很常見，當低壓槽橫過沿岸出海後便有機會形成。但季風低壓一般需要較長時間才能發展為熱帶氣旋，當強風範圍向中心匯聚，中心對流開始發展，季風低壓便轉化為熱帶低氣壓。不過範圍愈大的季風低壓，整合所需時間愈長，有時甚至需要1星期。對南海的季風低壓而言，可能已登陸沿岸地區並減弱消散。

秋冬季熱帶氣旋對香港的影響

　　香港的風季一般由 6 月開始，至 10 月結束。但在熱帶氣旋活動活躍的年份，11 月甚至 12 月也有熱帶氣旋進入南海，部分更引致香港天文台發出熱帶氣旋警告信號，例如 2000 年貝碧嘉、2006 年西馬侖及 2013 年羅莎，三者均引致天文台發出一號風球。而 1974 年艾瑪更引致天文台發出三號風球，亦是 12 月唯一影響香港的熱帶氣旋。

　　熱帶氣旋需要溫暖的海洋提供水汽及能量，以及大氣高低層環境配合才能維持強度和結構。踏入 11 月，北半球開始進入冬季，海洋雖然比陸地為暖，但海水溫度已明顯不及夏季。加上亞洲大陸上空已轉吹西風，熱帶氣旋進入南海後，受到高空強烈風切變影響，結構受破壞而減弱。假如正值寒潮南下，冷空氣更會令熱帶氣旋迅速減弱，熱帶氣旋改向西南偏西移動，最後在海面消散，不會登陸廣東沿岸。

　　當熱帶氣旋進入南海後，由於海面氣壓下降，引致氣壓梯度上升，而風力與氣壓梯度成正比，因此華南沿岸及香港風力增強。當香港吹強風時，天文台需要在強烈季候風信號及熱帶氣旋警告信號中取捨。而評估當時強風來自季候風還是熱帶氣旋，其中一個考慮因素是風向。當熱帶氣旋移至香港西南面時，香港會轉吹東南風。但假如香港正受季候風影響，風向仍為東至東北風時，就無須發出熱帶氣旋警告信號（但仍須發出強烈季候風信號）。其實兩個信號均警告相同的

風力（六至七級強風），但市民往往忽略強烈季候風信號的危險性，仍然進行水上活動，因此造成意外。

　　另一方面，當熱帶氣旋橫過南海時，熱帶氣旋東北象限的東南風跟東北季候風在南海北部匯聚，產生雲雨帶為華南沿岸帶來降雨。這些雲雨帶往往在距離熱帶氣旋中心數百公里外形成，與熱帶氣旋的雨帶無關，天文台稱這種現象為「奎明效應」（Cuming effect）。

秋冬季熱帶氣旋橫過南海時，與東北季候風相遇，在南海北部形成廣闊雲帶。（Courtesy of Japan Meteorological Agency）

八號風球下飛機可以起飛嗎？

為甚麼有時機場在八號風球下運作如常，在三號風球下卻出現航班延誤？

機場是不會因熱帶氣旋而關閉的。十號風球下機場仍然開放，飛機是否降落由航空公司根據天氣情況及其他因素自行決定。本地或比較進取的機師可能嘗試降落，保守的機師或會考慮轉飛其他地方。

飛機升降受風向及風力影響。影響飛機的風有三種：

1. 順風（tail wind）

與飛行方向相同的風，在飛行途中可以減省燃油和時間，在起飛降落時會減少浮力。

2. 逆風（head wind）

與飛行方向相反的風，在飛行途中會增加燃油消耗，但在起飛降落時會增加浮力。

3. 側風（cross wind）

與飛行方向成直角（90度），由側面吹來的風，在起飛降落時會影響穩定性，甚至把飛機吹離跑道。

　　赤鱲角機場現時有兩條跑道，呈 070-250 度（東北－西南）走向。每條跑道是雙向運作的，07L/07R 是指向著東北方的兩條跑道，25L/25R 是指向著西南方的兩條跑道。當吹東北風時，飛機可利用 07L/07R 跑道以逆風降落，當吹西南風時，飛機則可利用 25L/25R 跑道。

　　熱帶氣旋襲港時，香港風向會出現變化。假如熱帶氣旋在香港西面登陸，風會由東北風轉為東南風。東南風與機場跑道垂直，於是就出現側風。當側風大於每小時 25 海里（三號風球風力），飛機升降時就會有危險，部分機師會考慮延遲降落，或轉飛其他地方。假如熱帶氣旋在香港東面登陸，風會由東北風轉為西北風再轉為西南風。西北風與機場跑道垂直，同樣會出現側風。

　　所以，如果三號風球時吹東南風或西北風，機場航班可能受影響，出門前應先查詢最新情況[1]。但假如吹東北風或西南風，即使是八號風球，機場吹烈風，航班運作仍然繼續，可如常出發前往機場。

參考資料

1　赤鱲角機場實時航班情況：
　　https://www.hongkongairport.com/tc/flights/arrivals/passenger.page

當颱風遇上寒潮

西太平洋是全球最多熱帶氣旋活動的海域，即使在秋季，華南地區、台灣至沖繩一帶仍然會受熱帶氣旋正面吹襲。不過與此同時，北方的冷空氣亦轉趨活躍。當熱帶氣旋遇上寒潮時，會發生甚麼情況？

寒潮南下是一個大規模的過程，影響範圍達數千公里，受影響地區會出現降雨（或降雪）、強風及明顯降溫，一般持續數天。相比之下，熱帶氣旋影響的範圍較小，通常在登陸範圍 1,000 公里內，而且影響時間較短。尤其是吹襲日本的熱帶氣旋，移動速度往往達每小時 40 至 50 公里或以上，由迫近至遠離只需半天，即使早上天氣惡劣，下午已回復正常。

熱帶氣旋是一個中心較周圍暖的低壓系統（又稱暖心低壓），透過吸收水汽凝結釋放的熱量來維持強度。因此熱帶氣旋在海洋中增強，登陸後便減弱。當寒潮南下時，冷空氣被捲入熱帶氣旋中心，有如在熱水鍋內注入冷水，令熱帶氣旋迅速減弱。加上冷空氣來自西伯利亞地區，空氣非常乾燥，破壞水汽凝結的機制，切斷熱帶氣旋的動力來源，進一步令熱帶氣旋減弱。

除此之外，熱帶氣旋需要大氣低層及高層環境配合才能維持垂直結構發展。假如低層及高層的風速及／或風向差異太大，熱帶氣旋結構就會被破壞。在寒潮南下時，我們在地面感受到的是北至東北風，但在上空吹的卻是強勁的西至西南風。出現這個情況時，熱帶氣旋就

會被「撕裂」，高層雲帶迅速向東北吹走，餘下低層雲帶向西或西南移動，並露出中心，代表熱帶氣旋已達強弩之末，即將減弱為低壓區。

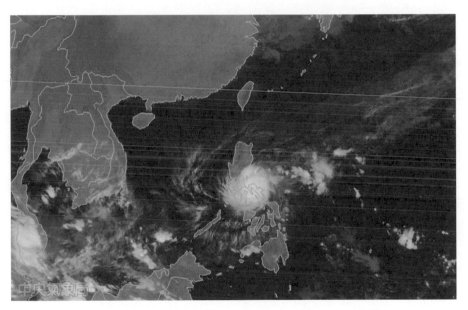

2016 年 12 月 26 日強颱風洛坦橫過菲律賓，在南海與冷空氣相遇並減弱消散。（Courtesy of Central Weather Bureau, Taiwan）

十一月會打風嗎？

　　西太平洋是全球熱帶氣旋活動最頻繁的地區，任何月份均可能有熱帶氣旋形成。香港的風季一般為 5 至 10 月，踏入 11 月，熱帶氣旋形成後何去何從？

　　熱帶氣旋的移動受高空風向影響。夏季南海及西太平洋上空吹東風，熱帶氣旋於西太平洋形成後，在東風引導下，向西移動橫過菲律賓進入南海，在廣東及廣西沿岸登陸。11 月，冬季季候風已支配東亞及南中國海北部，北緯 20 度以北上空普遍吹西風。熱帶氣旋移至菲律賓以東海域時，開始受高空西風影響，移動路徑急轉，由原來的偏西路徑逐漸轉為北然後東北，趨向日本或日本以南海域，逐漸轉化為溫帶氣旋。

　　不過，假如熱帶氣旋在較低緯度（北緯 10 度或以南）形成，由於赤道附近高空仍吹東風，因此熱帶氣旋持續向西移動，橫過菲律賓進入南海中部，然後在越南登陸。

　　當熱帶氣旋從低緯度進入南海時，雖然香港不會受到直接影響，但熱帶氣旋與東北季候風共同存在時會引致南海北部的等壓線變得緊密，氣壓梯度增加，因此香港風勢仍會增強，此時香港天文台可能會發出強烈季候風信號。此外，熱帶氣旋產生的湧浪亦會傳播至廣東沿岸地區，因此雖然天色晴朗，海灘及岸邊仍會出現大浪，市民進行水上活動或在岸邊垂釣時要格外小心。

在少數情況下，假如熱帶氣旋迫近菲律賓時，南海北部的東北季候風微弱，高空西風影響的地區偏北，熱帶氣旋就有機會進入南海北部，對香港構成威脅，天文台可能需要發出熱帶氣旋警告信號。不過由於南海北部的海水溫度已降低，高空西風與地面東風產生垂直風切變，熱帶氣旋會逐漸減弱並消散，或改向西南方向移動，甚少登陸廣東沿岸。

年份	天文台發出熱帶氣旋警告信號日期	最高信號
1993 艾拉	11 月 2 日至 5 日	3*
2000 貝碧嘉	11 月 4 日至 8 日	1
2006 西馬倫	10 月 31 日至 11 月 3 日	1
2013 羅莎	11 月 1 日至 3 日	1
2018 玉兔	10 月 31 日至 11 月 2 日	3

* 艾拉登陸廣東西部

近年 11 月引致香港天文台發出熱帶氣旋警告信號的熱帶氣旋（資料來源：香港天文台）

追風的危險性

　　保安局推出一段宣傳片段，模擬一對兄弟在八號風球下到岸邊追風，弟弟被海浪捲走，哥哥跳下海中拯救時遇溺身亡，而救人的消防員亦受傷。

　　每年 6 至 10 月是香港的風季，不時有熱帶氣旋進入南海威脅香港。假如熱帶氣旋達強烈熱帶風暴或以上級數並進入香港 200 公里範圍內時，香港就有機會受烈風吹襲，香港天文台可能需要發出八號風球。

　　近年市民在八號風球下外出的情況有上升的趨勢。部分市民視八號風球為額外假期，外出消遣活動；小部分前往空曠地方，感受颱風的威力，俗稱「追風」。但最令人擔心的是有些年輕人三五成群走到海傍（例如尖沙咀碼頭、西環一帶），做出種種危險動作向同伴炫耀，完全漠視危險。萬一發生意外，更危及拯救人員的安全。

　　過去半世紀，隨著房屋及基建改善，熱帶氣旋襲港造成的人命傷亡已大為減少，但這並不代表我們可以輕視熱帶氣旋的危險性。熱帶氣旋帶來的危險主要來自三方面：

I. 陣風

熱帶氣旋的強陣風可以把街上物件吹起，擊中行人引致受傷甚至死亡。在空曠地方及海傍，陣風可以將行人吹跌甚至吹進海中。

2. 雨

熱帶氣旋的降雨可以引致低窪地區水浸。假如降雨持續，更可能引發山泥傾瀉。

3. 風暴潮

熱帶氣旋是一個強烈的低氣壓系統，當熱帶氣旋接近沿岸時，由於氣壓急降引致海平面突然上升，海水淹沒沿岸地區，情況類似海嘯。1962 年颱風溫黛襲港，香港出現嚴重風暴潮，海水隨東北風湧入吐露港，沙田及大埔區頓成廢墟。2013 年超強颱風海燕吹襲菲律賓，亦出現風暴潮將沿海城市摧毀。

因此熱帶氣旋襲港時，我們應該採取適當預防措施，如無必要不要外出。即使外出亦應遠離岸邊，及慎防被高處物件擊中或被風吹跌的危險。

追風注意事項

「追風」一詞來自英文 wind chasing，意思是當熱帶氣旋吹襲時，走到最接近風眼的地方感受最強的風力，是危險的戶外活動，外國已盛行多年。

專業的追風者（wind chaser）通常結伴同行，分工合作，且具備相當氣象知識以判斷熱帶氣旋最有可能登陸的地點，並在熱帶氣旋登陸前到達。香港只屬華南沿岸的一點，除非熱帶氣旋在香港登陸，否則在熱帶氣旋襲港時外出感受風力，並不算真正的追風。

近年多了香港人在打風期間外出，甚至帶同小孩到岸邊感受風力，這是非常危險的行為，並不值得鼓勵。而且香港市區高樓林立，廣告招牌及其他物件在強風下搖搖欲墜，非常危險。但如個人仍然希望在打風時外出感受風力，請注意以下安全事項：

1. 不應單獨外出，宜結伴同行，並知會家人或朋友。

2. 外出前根據風向、風力及天氣，決定最適當及安全的地點，避免途經可能發生水浸或山泥傾瀉的地方。（如採用公共交通工具，出發前應留意回程班次。）

3. 減少喝水，避免上洗手間之麻煩。

4. 到達時，應先找一個安全地方作為基地，萬一情況轉壞亦可以躲避。若駕車前往，應預先找尋一處安全之停泊地點，並避免停泊在當風的地方。若無法避免，請留意停車之位置與風向是否一致以避免車輛被吹翻。如須安裝風速計及攝錄機，應在到達目的地前安裝完畢，並確保儀器可抵受預計之風力。

5. 避免選擇有潛在危險的地方進行觀測。隨時留意附近有潛在危險的物件，如樹、燈柱、路牌等，避免接近該等物件及位於該等物件可能被吹走之路徑。不要站近岸邊或懸崖邊，因陣風可將你吹走，拯救無門。

6. 千萬不可張傘。當陣風吹襲時，如體力不支，應立即蹲下以免被吹走，情況許可時立即躲避。當風勢及雨勢太大時，應停止觀測及躲避以免受傷。如駕車前往，應立即回到車廂。

7. 若天氣情況轉壞，或香港天文台發出暴雨警告或山泥傾瀉警告，應考慮回程。

追風是專業而危險的戶外活動，需要認真策劃，謹慎執行，不然會為自己帶來危險，並危害其他人士（例如拯救人員）的安全。打風期間外出或駕駛亦可能沒有保險賠償，因此決定外出前請三思。

THURSDAY ☀ 30°C

第四章

不同天氣系統

霧與煙霞

　　3月是香港春季的開始。氣溫上升，天氣變得潮濕，間中有霧，影響交通及航班升降。

　　正常情況下，大氣溫度隨高度而下降，地面氣溫較高，高空氣溫較低，空氣垂直上升並擴散。當情況逆轉，高空氣溫較地面為高時，空氣垂直上升受阻，只能在地面累積。當累積的空氣遇冷飽和，水汽凝結為水滴，便形成霧。

　　簡單來說，霧是觸及地面的雲，並可根據形成機制分為以下幾類：

1. 輻射霧（radiation fog）
日落後由於地面降溫，空氣冷卻形成霧。香港的盆地例如沙田、石崗、打鼓嶺等經常在日落後出現輻射霧。在天晴無風的日子，地面降溫加快，有助輻射霧的形成。輻射霧一般厚度有限，在日出或風勢增強後迅速消散。

2. 平流霧（advection fog）
大範圍溫暖潮濕空氣經過較涼的海面或陸地時，空氣冷卻形成霧。香港春天經常受平流霧影響，當溫暖潮濕的海洋性氣流隨東南風或南風經過華南沿岸較涼的海面時，平流霧便形成。平流霧影響範圍較大，影響時間亦較長，可以持續數天。

維多利亞港的平流霧

3. 上坡霧（upslope fog）

空氣經過山脈時，受地形影響被抬升，空氣冷卻形成霧。大帽山或鳳凰山的山腰有時會出現一層雲，其實就是空氣被抬升冷卻的結果。

4. 山谷霧（valley fog）

當山谷地區出現輻射霧，霧的厚度往往達數百米。日出後部分的霧消散，但由於冬天陽光斜射，熱力往往不足以令地面明顯升溫，因此接近地面的霧無法散去，形成山谷霧並可以持續數天。

5. 蒸氣霧（steam fog）

當冷空氣流經溫暖的海面，海水加速蒸發形成霧。在高緯度有暖洋流經過的地區，蒸氣霧較常出現，香港比較少見。

6. 降雨霧（precipitation fog）

下雨時，假如雨水較周圍空氣為暖，雨水會蒸發令空氣中水汽上升。當水汽出現飽和時便形成霧。

香港天文台的天氣報告中經常出現霧、薄霧和煙霞（中國內地稱為靄）的術語。當能見度受水滴影響時，空氣相對濕度較高（一般在80% 以上）。能見度低於 5 公里時，我們稱為薄霧（mist）。能見度低於 1 公里時，我們稱為霧（fog）。而當能見度受懸浮粒子影響時，空氣相對濕度較低（一般在80% 以下），我們稱為煙霞（haze）。

近年天文台將能見度低於 8 公里、相對濕度低於 95% 的天氣情況稱為「低能見度」。統計顯示，香港每年出現低能見度的時間有上升趨勢，顯示香港空氣質素轉差。

認識雷暴

　　香港的雷暴一般出現於每年3月至9月。雷暴是積雨雲
（cumulonimbus, Cb）內發生的天氣現象，包括閃電和雷。閃電是空
氣的放電現象，包括雲與雲之間的放電和雲與地面之間的放電，後者
對地面設施和人構成危險。由於閃電發出高溫，空氣急劇膨脹爆炸，
產生的聲音就是雷。

　　香港天文台常把雷暴稱為「狂風雷暴」（squally thunderstorm），
皆因雷暴常伴隨猛烈陣風（風力可達颶風程度），把物件吹倒，甚至
影響貨櫃碼頭運作和飛機升降。

　　閃電和雷差不多是同一時間發生的。由於光速跟聲速有差異，我
們通常先見到閃電，後聽到雷聲。光速為每秒300,000公里，聲速為
每秒330米，因此可以利用以下公式評估雷暴跟自己的距離：

距離（米）= 閃電後多少秒才聽到雷聲 × 330

　　例如閃電後3秒聽到雷聲，雷暴與觀測者之間的距離約1公里。

在大氣非常不穩定的日子，積雨雲發展旺盛，雲頂往往到達十多公里的對流層頂（tropopause），溫度在零下50度以下。由於積雨雲上半部溫度低於0度，空氣中的水汽冷卻為冰晶。冰晶降至較低高度時，被上升的暖空氣再次帶到高空，體積增大變為冰粒。如是者經過多次循環，當暖空氣無法支持冰粒的重量時，冰粒便降到地面，形成雹（hail）。

赤鱲角機場出現雲對地面的放電

天文台的閃電位置圖顯示不同時間發生閃電的位置，有助了解雷暴的動向，及早應變。而天文台的雷達圖上，黃色、橙色和紅色的區域表示有雷暴和大雨；而紫色的區域更表示可能有雹。留意雷達圖上顏色區域的移動和發展，可以預測未來數小時的天氣。

延伸閱讀

1　香港天文台雷達圖：http://www.weather.gov.hk/tc/wxinfo/radars/radar.htm
2　香港天文台閃電位置圖：http://www.weather.gov.hk/tc/wxinfo/llis/gm_index.htm

甚麼是低壓槽？

　　春夏之間，香港經常受低壓槽影響，帶來雷暴及大雨，有時甚至有冰雹和龍捲風。

　　低壓槽（trough）是大陸性氣流南下與海洋性氣流相遇，爭持不下的結果。假如大陸性氣流較強，香港受東北季候風影響，天氣乾燥較涼。假如海洋性氣流較強，香港受西南季候風影響，天氣潮濕溫暖。

　　低壓槽是地面氣壓最低的一條軸線，有如山谷，空氣由四周流入低壓槽然後上升，形成雷暴和雨。一道活躍（active）低壓槽通常需要以下大氣條件配合：

1. 溫暖潮濕的海洋性氣流提供水汽
2. 大氣不穩定，氣溫隨高度而下降的速度高，提供空氣上升條件
3. 大氣高層出現反氣旋，空氣由中心向四周散開，產生真空效應，令低層空氣持續上升

　　低壓槽的發展可透過雷達和閃電位置來監察。當多個雷雨區發展並合併，在雷達上形成狹長的雷雨帶，穩定移向沿岸地區時，我們稱為颮線（squall line）。颮線經過的地方會出現狂風暴雨，有時甚至

有冰雹和龍捲風，造成破壞及人命傷亡。颮線經過後，風向會轉為西北，因此漁民又稱這現象為「西北石湖」或「打石湖」。2005 年 5 月 9 日颮線經過香港時，葵涌錄得最高陣風達每小時 135 公里（猶如八號風球），貨櫃碼頭之貨櫃被吹倒，造成 1 人死亡、2 人受傷，碼頭運作受阻引致交通癱瘓。

　　至於龍捲風，是由積雨雲（cumulonimbus）底部伸展出來的漏斗形漩渦，未觸及地面時稱為漏斗雲（funnel cloud），觸及地面時稱為龍捲風。在陸地上的龍捲風稱為陸龍捲（tornado），強度較強、持續時間較長。在水面上的龍捲風稱為水龍捲（waterspout），強度較弱、持續時間較短。香港出現龍捲風的機會不高，但間中也有水龍捲的報告。

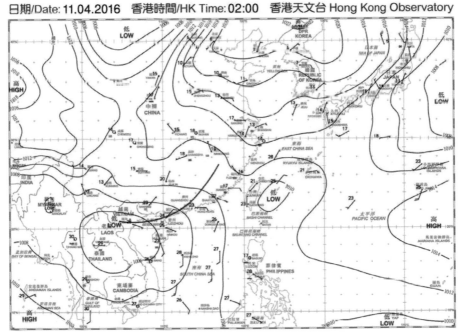

天氣圖上的低壓槽（圖中藍線）（Courtesy of the Hong Kong Observatory of HKSAR）

甚麼是寒潮？

跟熱帶氣旋一樣，寒潮（cold surge）是一種災害性天氣。

簡單來説，寒潮是指高緯度地區的冷空氣大規模地向中、低緯度地區進發，造成大幅度降溫的天氣過程。寒潮經過的地方除溫度急降外，還會出現大風甚至雨雪天氣，對農作物、牲畜、漁業、道路及社會設施以至人體健康都會構成威脅。

香港天文台對寒潮沒有嚴格定義，但中國中央氣象台將冷空氣分為五級：弱冷空氣、中等強度冷空氣、較強冷空氣、強冷空氣及寒潮。寒潮定義為冷空氣過境後，氣溫於 24 小時內下降 8 度，且最低氣溫在 4 度以下。但不同地方地理環境及氣候不同，定義或會稍為不同。

冬季西伯利亞、蒙古等高緯度地區日照少，地面被冰雪覆蓋，散熱多吸熱少，溫度偏低，冷空氣累積形成冷氣團。當冷空團累積至一定程度，氣壓上升，與南方氣壓達到一定差異時，就如水庫決堤氾濫一樣，冷空氣向南方爆發形成寒潮。

影響中國的寒潮主要有 3 條路徑：第一條是由西面經新疆向東南進發，也是影響範圍最廣及時間最長的一條路徑；第二條是由北面經內蒙古南下；第三條是由東北面經西伯利亞及內蒙古東部南下。根據統計，影響中國的寒潮大約每 3 至 8 天出現 1 次，而比較強的寒潮平

均每年有 4 次。當寒潮向南方推進時，暖空氣節節敗退，所經過的地區因而升溫，造成天氣回暖的假象。

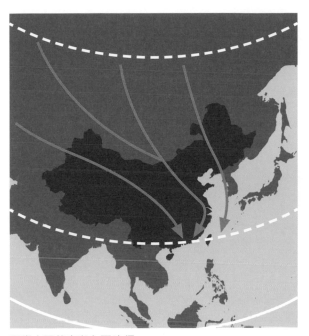

影響中國的寒潮主要路徑

並非所有寒潮都會影響華南，而冷空氣到達華南時亦會減弱。天文台一般會以「東北季候風」來形容，並根據香港的風向分為「北風潮」及「東風潮」。北風潮會帶來明顯降溫，東風潮則帶來強風。

最近有報道表示北極海冰面積創歷史新低，可能引致更多寒潮爆發。不過寒潮爆發的地區（北美、歐洲或亞洲）及南下路徑均有隨機性，就如熱帶氣旋形成後有不同路徑，不能過早推斷是否對香港構成影響。

輻射冷卻

　　香港的地形複雜，各區氣溫可以相差甚遠。尤其在冬季的清晨，市區及新界氣溫可以相差 10 度或以上。為甚麼會有這麼大的差別？

　　踏入冬季，西伯利亞的冷空氣變得更加強盛，每隔一段時間便會南下，稱為寒潮爆發。當冷空氣到達華中地區，遇上較暖的空氣時，就會形成冷鋒。冷空氣把暖空氣抬起，暖空氣上升產生雨甚至雪。假如冷空氣一波接一波，華中地區沒有暖空氣補充，就不會產生冷鋒，稱為季候風補充。

　　當冷空氣到達香港後，氣溫開始下降。由於冷空氣需要時間滲透，一般而言第二個晚上氣溫才會到達最低。假如冷空氣有足夠厚度，天氣會轉為晴朗乾燥，當風力開始減弱時，新界地區入夜後氣溫會迅速下降，比市區低 5 至 10 度，這個現象稱為輻射冷卻現象。

　　熱是從高溫物體轉移到低溫物體的能量，傳播方法可分為傳導（conduction）、對流（convection）和輻射（radiation）。傳導發生於固體，對流發生於液體和氣體。日間陽光經空氣到達地面令溫度上升，則是輻射的一種。日落後地面能量開始流失，此時天上的雲有如一張被子，可以阻擋並反射能量回到地面，風將空氣混合減慢降溫的速度，水汽的存在亦有助鎖住能量，因而減慢降溫的速度。

新界部分地區例如打鼓嶺、北潭涌、石崗等，由於位於盆地或四周被高山環繞，當晚上晴空無雲、天氣乾燥及風力微弱這些條件全部滿足時，地面能量迅速流失，1小時降溫可達 7 至 10 度，輻射冷卻現象非常顯著，居住在這些地區的市民要注意保暖。同樣道理，日出後這些地區的輻射增溫現象亦非常顯著，氣溫上升速度很快，甚至超越市區。這些地區的日夜溫差變化很大，早出晚歸的市民可能要多穿衣服，有時不為市區市民所理解。

不是每次寒潮襲港都會出現輻射冷卻現象。假如天空密雲，或者風很大，或者空氣潮濕，這些條件都不利輻射冷卻現象的發生，新界地區氣溫與市區的差別就比較小。

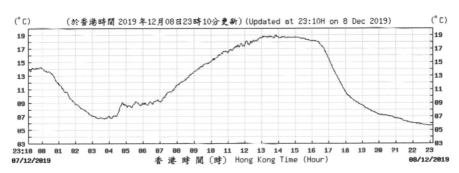

2019 年 12 月 8 日，北潭涌受輻射增溫及輻射冷卻影響，日夜溫差頗大。
（Courtesy of the Hong Kong Observatory of HKSAR）

高空擾動

　　香港天文台有時會在天氣報告中提到「高空擾動」,究竟是甚麼?對香港天氣有甚麼影響?

　　我們日常關心的天氣情況,包括氣溫、相對濕度、風等,都是指接近地面的情況。然而大氣是一個三維結構,熱帶地區對流層高度更達十多公里,高空天氣足以影響地面天氣。

　　空氣在赤道地區受熱變暖,上升流向兩極。由於地球由西向東自轉的關係,北半球的風向會逐漸偏向右方,南半球的風向會逐漸偏向左方,這個偏向力稱為科氏力(Coriolis force),緯度愈高,科氏力愈大。因此當空氣由赤道上空流向兩極時,會逐漸轉為西風,形成西風帶(westerlies)。

　　西風帶內有時會出現擾動,令部分地區轉吹西北風,部分地區轉吹西南風,兩者交界的地方我們稱為槽(trough)。由於在西風帶內出現,我們又稱為西風槽(westerly trough)。此外,西風帶內亦會出現狹長的大風區,稱為急流(jet stream),風速可達每小時 300 公里以上。假如飛機由西往東飛,機師會嘗試飛進急流內,節省燃油並減少飛行時間。

　　西風槽屬高空擾動的一種，槽的右方空氣上升，形成雨或雪；槽的左方空氣下沉，雲層消散天氣轉晴。西風槽形成後，會跟隨西風帶由西向東橫過東亞地區進入太平洋，經過地區會出現降雨或降雪，然後轉晴，並且出現降溫。冬季的寒潮爆發及相關天氣，都與西風槽的形成及移動有關。

　　要監察西風槽的形成及移動，我們會參考高空天氣圖。圖中紅線分隔西北風和西南風，即西風槽的位置。一般而言，冬季的西風槽位置較北，但有時西風槽由中南半島開始經過廣西及廣東移至太平洋，因此為香港帶來持續降雨。

西風槽

高空天氣圖上的西風槽

副熱帶高壓

副熱帶高壓是甚麼？對天氣有甚麼影響？

天氣變化與氣壓有關。一般而言，氣壓低時天氣較差，氣壓高時天氣較佳。5月及6月香港斷續受低壓槽影響，出現雷暴和驟雨，雨勢有時頗大。5月雨量比正常多一倍，6月雨量則接近正常。

到了7月初，太平洋高壓區建立並增強，向西伸展覆蓋華南沿岸，這個高壓區稱為太平洋高壓（Pacific high）。由於高壓區處於副熱帶地區，因此又稱為副熱帶高壓或副高（subtropical high）。高壓區內空氣下沉，空氣下沉升溫，因此高壓區籠罩的地區雲層消散，天氣炎熱。

在炎熱天氣下工作或進行戶外活動時，一定要做適當的防曬及散熱措施，例如戴上帽子，穿上吸汗及易於散熱的衣服。當活動進行一段時間後，更要停下來休息及補充水分，以免體溫過高出現抽筋、熱衰竭甚至中暑。

副熱帶高壓的增強及減弱有週期性。當副熱帶高壓增強西伸時，香港會出現驟雨甚至雷暴，接著數天持續天晴。當副熱帶高壓減弱東退時，香港雲量增多，並且有驟雨。

副熱帶高壓的西伸代表夏天正式來臨。副熱帶高壓南面為熱帶輻合帶（inter-tropical convergence zone, ITCZ），當中有不少對流活動，又稱熱帶擾動。熱帶擾動有時會增強為熱帶氣旋，並沿著副熱帶高壓的邊緣移動，因此當副熱帶高壓增強西伸時，熱帶氣旋便向西移動，登陸廣東、廣西、海南，甚至越南。當副熱帶高壓減弱東退時，熱帶氣旋便轉向北移動，登陸台灣、福建、華東甚至韓國及日本。

天氣圖上的副熱帶高壓（Courtesy of the Hong Kong Observatory of HKSAR）

藤原效應

西太平洋是熱帶氣旋最活躍之地區。當同時出現 2 個熱帶氣旋，就有機會彼此影響對方之路徑。

熱帶氣旋是能量的轉移，把熱帶地區的能量轉移到溫帶地區。在西太平洋，熱帶氣旋一般向西北方向移動，當越過副熱帶高壓脊進入西風帶時，西風帶內之強烈西南風將引導熱帶氣旋由西北改為向東北移動，這種現象稱為轉向。吹襲日本一帶的熱帶氣旋，移動速度可達每小時 50 公里或以上。

夏季及秋初，西太平洋熱帶氣旋活動頻繁，有時會同時出現 2 個、3 個，甚至 4 個熱帶氣旋，彼此影響對方之路徑，出現打圈，向南移動，甚至出現吞併的現象，稱為藤原效應（Fujiwhara effect）。

藤原效應的先決條件，是兩個熱帶氣旋相距少於 2,000 公里並繼續接近。當熱帶氣旋呈東北－西南位置時，藤原效應最明顯。我們可以想像兩個熱帶氣旋組成一個啞鈴，彼此環繞一個中心點作逆時針旋轉。因此西南方之熱帶氣旋會向南再向東移動，東北方之熱帶氣旋則繼續向西移動。在逆時針旋轉的過程中，兩個熱帶氣旋維持大約固定之距離，直至旋轉完成才會開始遠離。

　　假如藤原效應開始時兩個熱帶氣旋相距少於 500 公里，較弱之熱帶氣旋會被捲進環流內，受較強之熱帶氣旋環流影響。由於環流內吹單一方向的風（視乎不同位置吹不同方向的風），因此較弱之熱帶氣旋結構會受破壞，逐漸減弱並消散，最後只剩下較強之熱帶氣旋，這現象稱為合併。但合併後之熱帶氣旋，強度不會因而增強。

　　近年影響香港之熱帶氣旋部分出現不尋常路徑，當中部分受藤原效應影響。其中最經典的莫過於 1986 年的颱風韋恩及 1991 年的颱風納德。兩個熱帶氣旋在南海及西太平洋徘徊多天，令香港天文台 3 次懸掛熱帶氣旋警告信號。

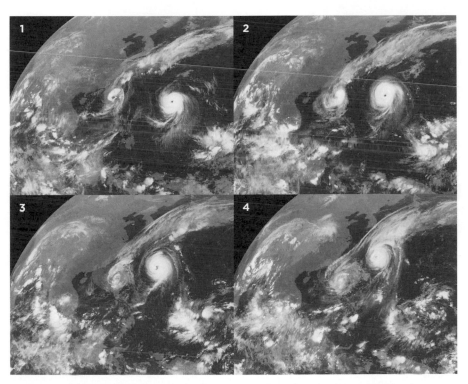

2009 年 10 月熱帶氣旋芭瑪（左）與茉莉（右）發生藤原效應，兩者逆時針旋轉。（Courtesy of Japan Meteorological Agency）

冷鋒南下

　　10 月，中國北方的冷空氣開始增強，形成冷鋒並南下。當冷鋒橫過香港時，香港的天氣會怎樣變化？

　　空氣停留在地球表面（陸地或海洋）一段時間後，性質（例如溫度和濕度）逐漸變得穩定，形成氣團（air mass）。常見的氣團有大陸性氣團和海洋性氣團。當兩股性質不同的氣團相遇時，會形成鋒面（front）。常見的鋒面有冷鋒和暖鋒。

　　冷鋒（cold front）是指冷暖氣團交會的地方，而冷氣團勢力較強，把暖氣團推向赤道地區。由於冷空氣密度較暖空氣為高，當冷氣團推進時，暖氣團會被抬升及冷卻，形成雲和雨。

　　暖鋒（warm front）是指冷暖氣團交會的地方，而暖氣團勢力較強，把冷氣團推向兩極地區。由於暖空氣密度較冷空氣為低，當暖氣團推進時，會抬升至冷氣團上方，因此亦會冷卻形成雲和雨。

　　冷鋒過境時，天氣變化比較劇烈，除了風向轉變、風力增強、溫度下降外，局部地區可能出現雷暴甚至冰雹，但持續時間不長。暖鋒過境時，天氣變化比較溫和，但影響的範圍較廣，廣泛地區有雨，而且持續數天。

　　影響華南地區的鋒面多為冷鋒，一般在華中形成。當冷空氣開始累積時，地面天氣圖上等壓線會變得緊密，表示氣壓梯度增加，而緊密等壓線的最前方即為冷鋒的位置。此外亦可留意天氣圖上溫度或風向出現明顯不連續性（discontinuity）的地區，界定冷鋒的位置。由於冷空氣較重，會引致氣壓上升，香港天文台利用湖南省的郴州與香港氣壓差的變化來預測冷鋒或冷空氣到達香港的時間。當氣壓差升至7百帕時，冷空氣約在 15 小時後到達香港。假如氣壓差進一步升至10百帕，表示冷空氣強勁，香港可能吹強風。

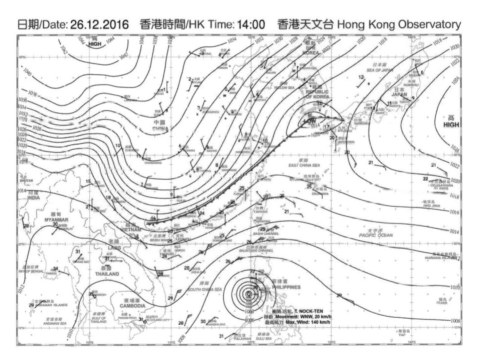

天氣圖上的冷鋒及暖鋒（Courtesy of the Hong Kong Observatory of HKSAR）

東北季候風

　　中秋過後，秋意漸濃。東北季候風開始增強，每隔一段時間便會南下，為香港帶來乾燥、早上較涼的天氣。

　　季候風（monsoon）是指大範圍地區風向隨季節變化的現象。由於陸地與海洋吸熱及散熱能力出現差異，因此在不同季節形成不同的風向。夏季太陽直射北半球，陸地迅速升溫，空氣上升，氣壓下降形成低氣壓。海洋吸熱較慢，溫度較低形成高氣壓。空氣由高氣壓流向低氣壓形成風，因此風由海洋吹向陸地，稱為夏季季候風。隨著太平洋副熱帶高壓脊西伸或東退，夏季季候風主要風向為東南、南或西南，活躍的時候以西南風為主，因此又稱為西南季候風。

　　秋季太陽開始斜射北半球，陸地散熱較吸熱快，氣溫下降，氣壓上升形成高氣壓。相反海洋保存熱量能力較高，散熱較慢，溫度較陸地為高，氣壓也較陸地為低，因此風由陸地吹向海洋，稱為冬季季候風。隨著亞洲大陸高壓區的增強及東移，冬季季候風主要風向為北、東北或東，大部分時間以東北風為主，因此又稱為東北季候風。

　　當北方冷空氣累積至一定程度，有如水庫決堤時，冷空氣便大舉南下，稱為季候風爆發。影響香港之冷空氣主要有兩個途徑南下，第一個是從北面越過廣東與湖南交界之南嶺，此時香港將轉吹北風，天氣明顯轉涼，稱為北風潮。第二個是從東面沿福建或台灣海峽，此時

香港將轉吹東風，而東面比較空曠，因此風勢強勁，稱為東風潮。不過由於冷空氣經過海洋時稍為暖化，因此降溫程度較北風潮為小。

　　香港天文台有一套準則預報北風潮和東風潮的來臨，一般市民亦可以參考[1]。準則主要利用兩地氣壓差計算指標，推算冷空氣到達的時間及強度。北風潮的指標為湖南郴州與香港之氣壓差，而東風潮的指標則為上海與香港之氣壓差。

參考資料

1　天氣指數定義及簡介：http://www.weather.org.hk/indices.html

暴雨形成的條件

香港天文台的氣象詞彙中，日雨量超過 25 毫米稱為大雨。而根據中國中央氣象台的雨量分級，日雨量介乎 25 至 50 毫米稱為大雨，50 至 100 毫米稱為暴雨，100 至 250 毫米稱為大暴雨，而超過 250 毫米則稱為特大暴雨。

暴雨形成的條件最少有三個：

1. 源源不絕的水汽

即使下雨地區上空所有水汽都轉為雨，雨量通常只有數十毫米。但暴雨的雨量經常超過 100 毫米，因此要形成暴雨就需要有外來的水汽不斷補充。水汽通常來自南中國海或孟加拉灣，有時與西南季候風爆發有關。

2. 空氣持續並急劇的上升

空氣上升時由於氣壓下降，空氣膨脹冷卻，水汽凝結為水滴再變成雨。因此暴雨形成的先決條件是空氣持續並急劇上升。天氣系統例如地面的低壓槽、高空的波動或山脈地形等都提供空氣上升的條件。

3. 不穩定的大氣

大氣可分為穩定、不穩定及條件性不穩定 3 種。在穩定的大氣下，空氣無法上升，形成霧、煙霞等天氣，影響能見度。在不穩定的大氣下，空氣一直上升，形成高聳、直達對流層頂的積雨雲，帶來雷暴和大雨。大氣的穩定性與氣溫有關，當地面愈暖，高空愈冷，大氣就愈不穩定。

香港天文台現時的暴雨警告系統廣為人知：

黃色暴雨警告信號

表示香港廣泛地區錄得或預料錄得每小時 30 毫米的大雨，且雨勢可能持續。

紅色暴雨警告信號

表示香港廣泛地區錄得或預料錄得每小時 50 毫米的大雨，且雨勢可能持續。

黑色暴雨警告信號

表示香港廣泛地區錄得或預料錄得每小時 70 毫米的大雨，且雨勢可能持續。

而內地的暴雨預警信號則分為藍、黃、橙、紅四級：

藍色預警
表示 12 小時內雨量將達 50 毫米以上，或已達 50 毫米以上並且雨勢持續。

黃色預警
表示 6 小時內雨量將達 50 毫米以上，或已達 50 毫米以上並且雨勢持續。

橙色預警
表示 3 小時內雨量將達 50 毫米以上，或已達 50 毫米以上並且雨勢持續。

紅色預警
表示 3 小時內雨量將達 100 毫米以上，或已達 100 毫米以上並且雨勢持續。

　　暴雨以清晨出現的機會較高，下午出現的機會較低。我們可利用香港天文台雷達監察暴雨的形成及動向，而中國中央氣象台更提供 1 至 7 日全國降水量預報 [1]。雖然暴雨有隨機性，香港亦只是彈丸之地，預報仍然有一定參考價值。

參考資料

1　中國中央氣象台 1 至 7 日全國降水量預報：
　　http://www.nmc.cn/publish/precipitation/1-day.html

下雪、結冰還是結霜？

　　冬季時，香港天文台若預測未來日子天氣嚴寒，高地可能會出現結冰或結霜現象。當氣溫接近冰點（即0度）時，水汽就會開始凝固，形成各種不同天氣現象。

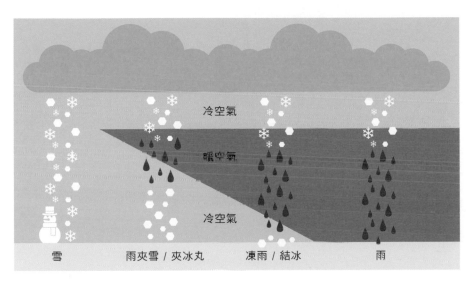

冬季不同降水出現的機制

1. 雪（snow）

當高空氣溫低於0度時，雲內的水滴開始凝固成為冰晶，然後結合形成雪花。雪花下降的過程中，氣溫一直維持在0度以下才能到達地面。

2. 雨夾雪／夾冰丸（sleet）

雪花在下降的過程中經過氣溫高於 0 度的空氣層，雪花融化為水滴。但其後氣溫再次低於 0 度，部分水滴重新凝固為雪花或小冰粒到達地面。

3. 凍雨／結冰（freezing rain / ice）

跟雨夾雪／夾冰丸相似，但雪花融化為水滴後未有足夠時間再次凝固，接觸地面或地面上較冷物件後才凝固為一層薄冰。凍雨／結冰的危險性最大，道路結冰後變得濕滑，電線杆因電線結冰、負荷太重而倒塌，都是凍雨／結冰的結果。

4. 雨（rain）

雪花在下降的過程中，低層氣溫高於 0 度，雪花全部融化為水滴。

1955 年至今香港的落雪報告

日期	地點	據報特徵 （原有用詞）	當地 當時氣溫 （攝氏）	天文台當天 上午 8 時氣 溫（攝氏）
1967 年 2 月 2 日	歌連臣角 （懲教所）	微小白色雪粒 （minute white particles of snow）	約 9 度	8.4 度
1967 年 12 月 13 日	大帽山 （近山頂）	非常輕微降雪；細小的雪花下飄 （very slight snowfall; small flakes drifted down）	6 至 7 度	12.5 度
1971 年 1 月 29 日	大帽山 （近山頂）	雲／霧中有雪花 （snowflakes in cloud / fog）	約 1 度	8.6 度
1975 年 12 月 14 日	大帽山 （近山頂）	輕微降雪 （slight snow）	約零下 3 度	4.4 度

資料來源：香港天文台

近 50 年香港有 4 次下雪紀錄，但冬季更常出現的現象是結霜（frost）。在寒冷的早上，新界地區及高地接近地面的草木或物件上常出現一層薄冰。結霜通常發生於天晴、乾燥及風力微弱的晚上，地面因輻射冷卻而急劇降溫，空氣中可容納的水汽減少，多餘的水汽便會凝華為霜（frost）。

現時香港天文台網站提供打鼓嶺及大帽山的草溫，可以作為結霜的參考。當草溫接近 0 度而相對濕度接近 100% 時，就可能出現結霜，屆時天文台便會發出霜凍警告。

漫談結霜

　　天氣寒冷及非常乾燥的日子，新界北部卻出現結霜現象，究竟是甚麼原因？

　　結霜是因為空氣中的水汽飽和，多餘的水汽直接轉變為冰（稱為凝華，deposition）的現象。天氣乾燥，為甚麼水汽會出現飽和呢？由於空氣在不同溫度下可容納的水汽量並不相同，溫度愈高，可以容納的水汽量愈多；溫度愈低，可以容納的水汽量愈少。

　　當晚間晴朗無雲、風力微弱，新界北部氣溫下降速度非常快（可參閱〈輻射冷卻〉一文）。我們在天氣報告中聽到的相對濕度，就是現時空氣中水汽量與可以容納的水汽量之比。當冬季季候風佔據華南沿岸後，香港受乾燥的大陸性氣團影響，空氣中水汽量漸趨穩定。但當氣溫下降，空氣中可以容納的水汽量減少，分母變小，相對濕度便隨之上升。這時候新界北部的相對濕度明顯較其他地區為高，表示輻射冷卻現象正在進行中，並不是儀器出現故障。

　　隨著氣溫繼續下降，相對濕度逐漸接近 100%，空氣的水汽開始出現飽和，我們將相對濕度為 100% 時之氣溫稱為露點（dew point）。假如露點高於 0 度，多餘的水汽就會凝結為露（dew）；假如露點等於或低於 0 度，多餘的水汽就會凝華為霜（frost）。

由於地面溫度一般較氣象站公佈的（10米高）氣溫為低，露和霜一般在地面物件上出現，若物件為深色或金屬（例如私家車車頂），則溫度會更低，露和霜更易形成。現時香港天文台網站提供打鼓嶺及大帽山的草溫，可以作為結霜的參考。當草溫接近0度而相對濕度接近100%時，農作物就可能出現結霜，天文台便會發出霜凍警告提醒農民注意，以免農作物被凍壞。

凝結尾跡

在晴朗無雲的日子，天空有時會出現一條條白色的線條，像煙一般。其實這些線條是雲的一種，稱為凝結尾跡（condensation trail / contrail）或飛機雲。

凝結尾跡

凝結尾跡屬於高雲的一種，在香港很常見。雲的形成需要有潮濕空氣，但仍需要有凝結核（condensation nuclei）的存在，當空氣冷卻時，水汽可以依附在凝結核上變為水滴或冰晶，才成為雲。

在天氣晴朗但高空寒冷潮濕的環境下，當有飛機經過，飛機尾部噴出的熱氣流及燃燒產生的微粒，正好提供空氣冷卻及凝結核的條件，水汽即時凝華（由氣體直接變為固體）為冰晶，出現一條軌跡，就是凝結尾跡或飛機雲。

凝結尾跡並不是煙，可以在天空持續一段時間甚至數小時，但會受高空風影響出現形狀改變。起初只是一條幼長雲帶，假如空氣持續潮濕，雲帶會慢慢發展、擴闊，甚至與其他凝結尾跡合併，形成卷雲（cirrus）。假如當時太陽角度較低，太陽光射進卷雲時會出現光點或類似彩虹的七色光帶，稱為幻日（sundog）或環天頂弧（circumzenithal arc）[1]。

凝結尾跡的出現有時是天氣轉變的先兆。由於高空天氣不穩定，卷雲慢慢發展並覆蓋天空，轉化為卷層雲（cirrostratus），雲底逐漸降低，卷層雲再轉化為高層雲（altostratus）。由於高層雲較厚，把太陽或月亮遮蔽，晴朗天氣因而結束。

不過，亦有陰謀論認為，凝結尾跡其實是化學尾跡（chemical trail / chemtrail），是政府或軍隊在空中噴射化學物質，企圖改變天氣、改善農作物生長，甚至影響人類活動。至於是否屬實，仍然眾說紛紜。

參考資料

1　大氣的光學現象：http://www.atoptics.co.uk/

為何美加經常出現暴風雪？

　　美國東北部及加拿大地區冬季經常受暴風雪吹襲，造成交通癱瘓及人命傷亡。究竟暴風雪是怎樣形成的？

　　帶來暴風雪的天氣系統，稱為溫帶氣旋（extratropical cyclone / mid-latitude cyclone）。溫帶氣旋是一個低壓系統，風向呈逆時針旋轉（北半球），中心氣壓很低，風力可達颶風程度，並帶來持續降雨及降雪，有時更會出現風暴潮。一個成熟的溫帶氣旋，覆蓋範圍可達1,000公里。

　　當來自北極的冷氣團南下，與來自墨西哥灣的暖氣團相遇，由於溫度的差異，形成冷鋒及暖鋒。冷鋒由北向南移動，暖鋒由南向北移動，兩者連接的地方為低壓區的中心。當低壓區由西向東移進大西洋時，假如暖氣團異常活躍，低壓區中心氣壓急降，風力急速增強，形成強烈的溫帶氣旋，帶來大降雨及降雪。由於溫帶氣旋吹襲時吹東北風，美國又稱這類強烈溫帶氣旋為 nor'easter。

　　除北美洲外，歐洲及亞洲亦受溫帶氣旋影響。例如當冷空氣從中國北方南下，同樣會形成冷鋒、暖鋒及低壓區，並由華北地區向東移進黃海／日本海，條件合適下亦會急劇增強，為日本帶來暴風雪，引致交道癱瘓、航班無法升降，大量旅客滯留。因此市民在冬季計劃前往北方地區旅遊前，必須留意當地的天氣預報。

　　深秋開始，由於副熱帶高壓減弱東退，熱帶氣旋無法在低緯度熱帶地區向西移動，改為向北移動進入中緯度溫帶地區。當熱帶氣旋進入溫帶地區後，由於海水冷卻及高空風勢強勁，令熱帶氣旋無法維持對流活動，垂直結構亦受強風破壞，因而減弱甚至消散。不過亦有部分熱帶氣旋會轉化為溫帶氣旋，並轉向東北移動，為經過地區帶來惡劣天氣。不過這類溫帶氣旋的移動速度相當快，有時可達每小時 100 公里或以上，因此惡劣天氣只會維持一段短時間。

美國東北部及加拿大地區冬季不時出現暴風雪

第五章

天氣觀測

雲的觀測

踏入初冬，天氣變得晴朗穩定，是觀雲的好季節。

大氣本身是透明無色的。當太陽光進入大氣層時，波長較長的紅光可以到達地面，但波長較短的藍光則被大氣裡的微粒散射，因此從地面看上去天空便呈藍色。

雲是大氣中的水汽遇冷，由氣態轉為液態（凝結）或固態（凝華）的現象。世界氣象組織根據雲的高度及形態把雲分為 10 種：

高雲：卷雲、卷積雲、卷層雲
中雲：高積雲、高層雲、雨層雲
低雲：層積雲、層雲、積雲、積雨雲

雖然積雲及積雨雲屬於低雲，但由於雲可以向上發展至高空，因此又稱直展雲。夏天中午經常見到積雲發展成為塔狀積雲再發展為積雨雲，帶來局部地區性驟雨及雷暴。

雲的高度在不同緯度會有差異。在熱帶地區，由於對流層較厚，雲的高度較高；但在兩極附近，由於對流層相對較薄，因此雲的高度較低。在香港，高雲是指雲底高度在 20,000 呎以上，中雲介乎 6,000 至 20,000 呎，而低雲則在 6,000 呎以下。

觀雲時除了判別雲種，也會評估雲量。我們把天空分為 8 份，當天空無雲時，雲量為 0/8；當天空佈滿雲、看不見藍天時，雲量為 8/8；其餘分數則按照當時的情況來估計。在香港天文台的天氣報告中，預測雲量少於 6/8 稱為天晴，雲量介乎 6/8 至 7/8 稱為多雲，雲量為 8/8 稱為密雲。

　　由於雲隨著大氣不斷變化，因此觀察雲種、雲量和雲底高度的轉變可以預測短時間內的天氣。前人累積下來的諺語，例如「天上鯉魚斑，曬穀不用翻」、「天上鈎鈎雲，地上雨淋淋」等，就是透過雲的變化來預測天氣。

赤鱲角機場上空同時出現高雲、中雲及低雲。

雲的觀測：低雲

低雲包括層雲（stratus, St）、層積雲（stratocumulus, Sc）、積雲（cumulus, Cu）及積雨雲（cumulonimbus, Cb）。

層雲

層雲像一幅被懸浮在低空的被子，有明顯的底部，常見於春季的陰雨天，有時帶來持續微雨。層雲也常見於雨後的山坡上。

層雲代表大氣穩定，常與逆溫層有關，由於高空氣溫較高，空氣無法進一步上升，只能向四周擴散形成層雲。

層雲的雲底可以低至幾百米，含有大量水汽，與霧相似。換個角度去理解，霧是接觸地面的層雲。

層積雲

層積雲一般排列整齊，底部有明顯波浪狀起伏，雲與雲之間有空隙，垂直發展不明顯，代表大氣大致穩定。

層積雲是層雲和積雲的過渡。在秋季及冬季，晚間因逆溫層出現形成之層雲，日出後受太陽照射加熱，解體成為層積雲。此外，當積雲因空氣停止上升而解體，雲頂塌下也會成為層積雲。

層積雲有時會帶來微雨。

積雲

　　積雲是夏天最常見的雲，因地面空氣受熱，變輕上升形成，像棉花般掛在天空中。

　　積雲的形態變化萬千，如以棉花般零散分佈，天氣一般良好。但如頂部不斷向上發展，形成椰菜花狀，或會帶來驟雨。當空氣上升持續，積雲發展成為塔狀，稱為塔狀積雲。

　　積雲表示大氣不穩定，空氣上升運動活躍，因此飛機會避免飛進積雲內，以免受湍流影響。

積雨雲

　　當積雲不斷向上發展，雲頂到達對流層頂並散開形成砧狀時，稱為積雨雲。

　　積雨雲內帶有電荷，當電荷累積至一定程度便會發生放電現象，形成閃電。閃電時產生的高溫令空氣急劇膨脹爆炸，產生的聲音就是雷聲。

　　積雨雲除了引發雷暴外，還會帶來猛烈陣風、大雨、冰雹甚至龍捲風，影響飛機升降甚至要改飛其他地方。假如香港天文台天氣雷達圖上出現黃色、橙色及紅色區域，就要留意雷暴可能正影響這些地區。

雲的觀測：中雲

你看過魚鱗天嗎？魚鱗天的雲稱為高積雲，屬中雲的一種。

在香港，中雲是指雲底高度介乎6,000至20,000呎的雲。中雲可以分為三種：高積雲（altocumulus, Ac）、高層雲（altostratus, As）和雨層雲（nimbostratus, Ns）。由於雨層雲有時雲底很低，有些分類會將它列為低雲。

高積雲

高積雲俗稱「魚鱗雲」，因為雲塊像魚鱗般排列。高積雲的出現代表有對流活動發展，但由於上方有逆溫層存在，空氣無法上升，因此高積雲頂部發展不明顯。

　　高積雲跟卷積雲比較，高度較低，雲塊較大。卷積雲由冰晶組成，但高積雲多由水滴組成。

　　高積雲有很多不同的形態，常見的有塊狀、波浪狀及扁平狀。假如高積雲呈塊狀或扁平狀排列，不佔據天空而且見到藍天，天氣大致良好。但假如高積雲呈波浪狀，逐漸佔據天空並轉化為高層雲，天氣可能會轉差並有雨。

高層雲

高層雲呈灰白色或淺藍色，把天空覆蓋，很多時由卷層雲的雲底高度降低轉化形成，又或者由高積雲逐漸發展形成。此外下雨過後，雨層雲變薄雲底高度上升，也會形成高層雲。

當高層雲不太厚時，太陽和月亮變得暗淡，輪廓不明顯，看上去好像隔了一層磨砂玻璃。當高層雲進一步增厚，太陽和月亮便不可見，天空呈一片白色。高層雲常與鋒面有關，當鋒面接近時，卷層雲轉化為高層雲並加厚，把太陽和月亮遮蔽，顏色亦由白色逐漸轉為灰黑，為下雨前的先兆。

雨層雲

　　雨層雲是降水的雲，佈滿全天，有時雲底高度很低，甚至在1,000 呎以下，給人透不過氣的感覺。由於雨層雲有一定厚度，陽光無法通過，因此底部呈黑色。一般人看見雨層雲也能意識到即將下雨。

　　當降水開始時，由於有些水滴未到達地面已被蒸發，在雲底出現一些不規則的散亂狀，稱為雨幡（virga）。

　　雨層雲與鋒面或低壓槽有關，當暖空氣沿著冷空氣上升，便形成雨層雲。假如雲內對流強烈，便進一步形成積雨雲，並帶來雷暴和冰雹。一般而言，雨層雲會帶來持續降雨。

雲的觀測：高雲

　　高雲可以分為三種：卷雲、卷積雲及卷層雲，它們都是由冰晶組成。

卷雲

　　卷雲（cirrus, Ci）是天空中最高的雲，也是變化最多的雲，雲底高度一般在 20,000 呎（6,000 米）以上。卷雲的出現代表高空有對流運動，由於高空溫度低於冰點，水汽直接凝華（deposition）變成冰晶，冰晶被太陽照射因而肉眼可見。卷雲在地面無影，亦不會下雨。

當高氣壓籠罩香港時，高空空氣下沉至地面。因為要補充下沉了的空氣，空氣由四周流向中心，部分空氣向下沉，部分空氣向上升產生對流運動形成卷雲。此類卷雲較為穩定，不會明顯增厚，是晴天的徵兆。

當熱帶氣旋或冷鋒接近香港時，空氣上升至高空並在對流層頂向四周散開，形成卷雲。隨著熱帶氣旋或冷鋒接近，卷雲增多並不斷橫過天頂，繼而增厚形成卷層雲、高層雲時，就是天氣轉壞的徵兆。

由於卷雲是天空最高的雲，日出及日落時是最早被照亮或最遲轉暗的，加上由冰晶組成，太陽光經冰晶折射，常出現漂亮的色彩。

卷積雲

卷積雲（cirrocumulus, Cc）呈白而薄的細鱗片狀，常成行或成群排列，如微風吹過水面形成的波紋。卷積雲是卷雲或卷層雲過渡而成，雲體比高積雲細小，通常與卷雲及卷層雲一起出現。

當颱風接近時，颱風外圍的卷雲及卷積雲先到達，卷積雲逐漸增多、增厚轉為高積雲，再轉為高層雲及雨層雲，天氣轉壞及有雨。卷積雲也可由高積雲上升形成。假如雲量不多，也沒有其他雲種的話，代表天氣轉好。

卷層雲及日暈

卷層雲（cirrostratus, Cs）的特點是覆蓋面積廣且平坦，像天空中透明的雲，常在太陽和月亮周圍形成日暈（halo）。由於卷層雲內冰晶的密度很低，陽光大多數能穿透，因此有時看上去好像沒有雲似的。

當陽光或月光射進呈六角柱體的冰晶時，會產生折射並在太陽或月亮外圍形成彩色的圓圈，稱為暈。從地面觀看，太陽或月亮中心

——觀測者——暈的外圍成 22 度夾角。有時也有 46 度夾角的暈，但顏色較暗淡。暈的出現表示有卷層雲存在。

　　卷層雲代表天氣可能出現變化。假如卷層雲沒有佔據天空也沒有增厚，天氣仍然良好。如卷層雲逐漸把天空覆蓋、增厚、降低，變成高層雲，天氣可能轉為陰雨天。

氣象儀器系列（一）：溫度計

　　溫度計是家居最常見的氣象儀器，市面常見的溫度計有水銀溫度計、酒精溫度計、指針溫度計、電子溫度計及紅外線溫度計。前兩者把水銀或已染色（一般為紅色或藍色）酒精注入內壁極幼的玻璃管中，利用液體冷縮熱脹的原理，在玻璃管上刻上讀數顯示溫度變化。

　　水銀溫度計與酒精溫度計最主要分別在量度溫度的範圍。由於水銀沸點遠比酒精為高（達 356 度，酒精為 78 度），因此水銀溫度計可以量度高溫。相反，酒精熔點遠比水銀為低（達零下 117 度，水銀為零下 38 度），因此在嚴寒的兩極，水銀溫度計便無法發揮作用，此時酒精溫度計便大派用場。

　　此外，水銀冷縮熱脹的幅度較酒精大，對溫度變化較敏感，可以監察較微小之溫度變化。但水銀有毒而且污染環境，假如溫度計不慎被打破，需要特別處理。

　　另一種常見的溫度計是指針溫度計，體積比水銀溫度計或酒精溫度計小得多。指針溫度計一般由兩塊不同金屬片組合而成，利用兩種金屬冷縮熱脹的程度不同，令金屬片出現彎曲，將指針推向不同方向顯示溫度變化。

而電子溫度計則利用熱電偶（thermocouple）測量溫度變化。將兩種不同材料的導體串連成一個閉合回路，當兩個接點溫度出現差異時，在回路中會產生熱電動勢及電流，再將電流轉化為溫度讀數。

　　近年紅外線溫度計開始盛行，主要用作量度人體溫度。紅外線溫度計利用物體溫度愈高發出紅外線能量愈多的原理，收集物體發出的紅外線能量、轉化為電子信號並將其放大，最後顯示為溫度讀數。雖然紅外線溫度計使用方便，但不能量度反射表面的溫度。

　　每種溫度計都有優點及缺點，水銀及酒精溫度計準確性最高，但體積較大，使用較為不便，有時更要在兩個刻度間估計讀數。電子及紅外線溫度計使用方便，但由於電子零件設計的局限性，量度時會產生少許誤差。對一般市民而言，誤差在 1 度以內已相當理想。至於指針溫度計準確性較低，多用作家居裝飾，讀數只供參考。

氣象儀器系列（二）：濕度計

　　濕度是空氣中水汽量多寡的指標，濕度愈大表示空氣中水汽量愈多。在固定氣溫下，空氣所能容納的水汽量是有上限的，此上限稱為飽和水汽量，當水汽量到達上限後，多餘的水汽便會凝結為水滴。

　　濕度可以分為絕對濕度（absolute humidity）和相對濕度（relative humidity），前者是指單位體積內水汽的重量，一般單位為克／立方米。後者是指空氣中水汽含量與相同氣溫及氣壓下飽和水汽量之比，一般以百分比表示。電視台天氣報告中之濕度就是相對濕度。過高及過低之相對濕度都會令人感到不適，一般以40%至70%最為理想。

　　量度相對濕度可以利用濕度計。市面上常見的濕度計有毛髮（指針）濕度計、乾濕球濕度計及電子（電阻或電容式）濕度計。

1. 毛髮濕度計

由於人或動物的毛髮在濕度變化時會產生伸縮，將一束經過脫脂處理的毛髮固定於一端，當濕度變化時，另一端長度改變並帶動指針顯示濕度。

2. 乾濕球濕度計

利用兩個電阻式溫度傳感器，一個測量乾球溫度（dry bulb temperature），一個外面包著濕紗布測量濕球溫度（wet bulb temperature）。根據乾球溫度與濕球溫度的差，將電子信號放大，並轉換為濕度讀數。由於測量濕球溫度需要使用水，所以乾濕球濕度計只能在氣溫 0 度以上的環境運作。

3. 電子濕度計

利用吸濕性高之金屬鹽（例如氯化鋰、氯化鈣）的電阻隨濕度變化製成。當天氣潮濕時，金屬鹽中水分增加、電阻減少；相反當天氣乾燥時，金屬鹽中水分減少、電阻增大。利用電阻變化轉換為濕度讀數。

一般而言，乾濕球濕度計最為準確，電子濕度計準確性亦不差（誤差在 5% 以內），而毛髮濕度計在相對濕度介乎 40% 至 70% 時準確性不俗，但在極乾燥或潮濕的情況下，誤差會較大，有時可能超過 10%。

我們可以自行利用兩枝溫度計測量乾球溫度及濕球溫度，利用下圖找出相對濕度。方法是先根據藍線選定濕球溫度（需要時可插值），然後在 x 軸向上找出乾球溫度與顏色線之相交點，相交點之 y 軸數值就是相對濕度。

利用乾濕球溫度找出相對濕度

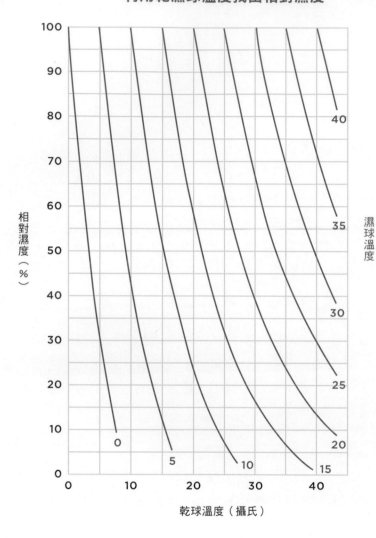

相對濕度（%）

濕球溫度

40

35

30

25

20

0

5

10

15

乾球溫度（攝氏）

氣象儀器系列（三）：風速計

大氣各種氣象參數中，以風的變化最大。如何量度風速？

風是空氣流動的結果。不同地方的空氣受熱程度不同，當空氣受熱時，密度變小，氣壓下降；當空氣遇冷時，密度變大，氣壓上升。空氣由密度高（高氣壓）的地方流向密度低（低氣壓）的地方，便形成風。

量度風包括風向及風速。風向代表風由哪個方向吹來，例如「東風」是指風由東面吹來。風向可以分為 16 個方位，稱為「十六點方位」：

北、東北偏北、東北、東北偏東
東、東南偏東、東南、東南偏南
南、西南偏南、西南、西南偏西
西、西北偏西、西北、西北偏北

風速有不同的單位，世界氣象組織以米／秒為準，香港天文台天氣報告中則採用公里／小時或海里／小時，而美國則採用英里／小時。各單位轉換方法如下：

1 米／秒 = 3.6 公里／小時
1 海里／小時 = 1.852 公里／小時
1 英里／小時 = 1.609 公里／小時

市面上出售的風速計包括扇葉形風速計、風杯形風速計、熱棒形風速計及超聲波風速計：

扇葉形風速計

輕便、靈敏度高。只要面向風向，風流過扇葉產生脈沖或磁場，再計算脈沖數目或量度磁場大小即可得到風速。但缺點是要對正風向，否則容易有誤差。

風杯形風速計

不受風向影響。風來自任何方向均可把風杯推動產生脈沖。但由於風杯較重，起動風速計所需的風力較高。

熱棒形風速計

風速計附有金屬棒，內藏發熱線，將發熱線加熱至高於環境溫度，風流過時產生降溫效果，引致發熱線的電阻改變從而計算風速，但不適用於量度高風速。

超聲波風速計

風速計上有多個棒狀感應器，利用超聲波到達不同感應器的時間差，計算一維（單方向）、二維（平面）或三維（平面及垂直）風速。由於風速計沒有移動組件，因此較扇葉形風速計及風杯形風速計耐用，但價格亦最高。

隨著流動通訊發達及網上社交平台興起，近年更出現供手提電話或平板電腦使用的扇葉形風速計及風杯形風速計。利用手提電話或平板電腦的耳機插口或藍芽功能作為介面，將數據傳送至手提電話或平板電腦內，再連同衛星定位數據即時上載至社交平台分享。

氣象儀器系列（四）：雨量計

　　香港踏入雨季，降雨逐漸增多。雨量是指雨水在地面累積的高度，例如 10 毫米雨量就是雨水在地面累積 10 毫米。

　　香港天文台常用的雨量計分為兩種：

普通雨量計

利用漏斗及收集筒收集雨水，然後計算雨量。漏斗面積愈大，收集的雨水愈多。假如漏斗的面積為 A，收集筒的底面積為 B，收集筒內雨水的高度為 h，計算雨量的公式是：

雨量（雨水高度）= 雨水體積 / 漏斗面積 =（B x h）/A

普通雨量計把收集到的雨水儲存在收集筒內，需要用人手打開雨量計，將雨水倒進量筒內讀出雨量。

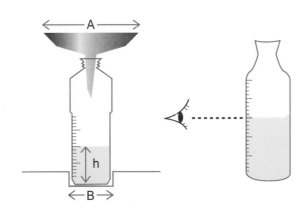

觀測雨量計讀數

我們可以自行製造雨量計。例如利用雪糕盒盛載雨水，雨水在盒內的高度就是雨量。又或者利用漏斗來盛載雨水，計算雨量時先把雨水倒進量筒內計算體積，再除以漏斗面積得出雨量。

翻斗式雨量計

雨量計包括收集筒，內有一個天秤，天秤兩邊各有一個小杯盛載雨量。當小杯盛滿雨水時，由於重量關係，天秤會向盛滿雨水的一邊傾側，把雨水倒出，並在雨量計上記錄，一般相當於 0.2 或 0.5 毫米雨量。如是者不斷重複，就可以計算總雨量。

翻斗式雨量計

翻斗式雨量計可以全自動操作，但只能記錄以小杯體積為倍數的雨量，而當雨水無法裝滿小杯時，雨量就不能被記錄。

雨量計要安裝在平坦的地面上，離地面有一定高度，以免雨水落到地面後反彈進雨量計內。此外，雨量計四周不應有樹或建築物，以免影響讀數。由於雨量分佈並不平均，而且受地形因素影響，因此不同地區錄得的雨量可以相差甚遠，比較時要留意。

天氣雷達使用手冊

　　曾幾何時，天氣雷達圖像被視為官方機密；如今在公共資訊透明化的趨勢下，市民可以利用電腦甚至電話隨時查看實時雷達圖[1]。

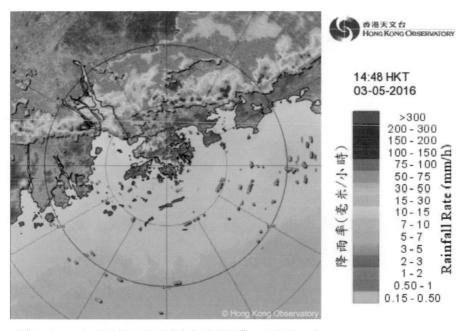

香港天文台天氣雷達圖，顯示廣東內陸的雨帶正在南下。（Courtesy of the Hong Kong Observatory of HKSAR）

　　雷達（radar）的全名是 radio detection and ranging，即利用無線電波探測及測距。雷達以不同仰角及方位發出無線電波，當無線電波遇到空氣中的雨點時就會被反射，雨點愈大，反射信號愈強，因此

透過接收及分析無線電波反射回來的強度及時間，就可以計算雨區的強弱及位置。

無線電波頻率受移動速度影響，原理有如當救護車接近時，響號的聲調會變高；救護車遠離時，響號的聲調會降低。近年出現的多普勒雷達（Doppler radar）就是利用這個原理，透過量度無線電波反射回來的頻率轉變，計算雨區移動的速度，對評估熱帶氣旋風力很有幫助。

天氣雷達主要用來監察短時間及幾百公里範圍的降雨、雷暴及冰雹天氣，技術性一點來說，就是小尺度範圍的強對流天氣。天氣雷達一般安裝在山頂位置，以減少受附近建築物影響。廣東省氣象部門亦有在網上提供由多個天氣雷達合併而成的雷達拼圖，覆蓋範圍更廣闊。

雷達圖提供的信息經過一定程度處理，方便絕大多數人使用和理解。雷達圖上的座標系統同樣是順時針東南西北，跟一般地圖並無分別。掌握閱讀雷達圖的基本技巧，可為行山遠足及戶外活動的短期策劃提供有用資訊。

現時香港天文台公開的雷達圖規格是：64 公里範圍圖像每 6 分鐘更新 1 次；128 及 256 公里範圍圖像每 12 分鐘更新 1 次。此外還有 512 公里範圍圖像，但只供航空業界及內部使用。正常情況下，香港天文台天氣雷達是觀測海平面以上 3 公里高度的降雨率，撇除低雲、雀鳥、異常傳播等因素，假如降雨高度並非在 3 公里高度，圖像顯示的雨量會跟實際雨量有出入。

雷達圖右邊的色板指出降雨率的大小，而降雨率乘以持續時間就是雨量。舉個例，當深黃色雨區在某區停留 1 小時，累積雨量便有

30 毫米，達到「黃色暴雨警告信號」的標準；而更深色的橙色、紅色及紫色雨區除了表示雨勢更大外，亦表示有強對流天氣，可能出現冰雹或龍捲風。

筆者經驗之談，一般市民查看實時雷達圖時可以注意以下幾點：

1. 找出自己在雷達圖上所在位置，平時多閱讀香港地圖會有一定幫助；

2. 256 公里大範圍雷達圖可以用來了解珠三角地區雨勢發展，例如有零散雨區平均分佈，即使本港天氣相對穩定，24 小時內出現驟雨機會依然頗大；

3. 若雷達圖上出現大片連續雨區，不妨啟動動畫序列，對雨區速度及移動方向作出估算；

4. 如果從 64 公里小範圍雷達圖上看到香港附近出現雨區，不妨轉用大範圍模式檢查是否有更大雨形態在發展；相反，如果從 256 公里大範圍雷達圖上見到雨區臨近，亦要留意在香港附近會否突然有雨區發展，提早影響香港。注意自己所在位置跟雨區距離的變化，及早作好準備；

5. 季節變更時，雷達圖上經常出現有組織的弓狀雨區，由西向東移動，為經過地方帶來雷暴、猛烈陣風及暴雨，稱為颮線，華南地區又稱西北石湖。

參考資料

1　香港天文台最新雷達圖：http://www.weather.gov.hk/tc/wxinfo/radars/radar.htm

如何理解雨量？

「20 毫米雨量」究竟有多少？「間中有大雨」究竟有多大？

　　天氣報告中提及的雨量是如何量度的呢？雨量是指雨水（或融解後的固體降水）在地面累積的高度，20 毫米雨量就表示雨水在地面累積了 20 毫米或 2 厘米。別小看這 2 厘米，如果全落在一個長 50 公尺寬 25 公尺的標準泳池內，雨水容量有 25,000 公升，重量有 25,000 公斤！

　　量度雨量一般使用雨量計，可分為普通雨量計和自動雨量計。普通雨量計一般以一個漏斗作為收集雨水的介面，儲存在量雨筒內，然後計算雨量，每次計算後要把雨水倒出。自動雨量計則以翻斗式雨量計為多，形狀類似天秤，兩邊各有一個量杯，每次由其中一個量杯收集雨水。當量杯滿溢，天秤就會傾側，將雨水倒出並記錄雨量。待另一側的量杯滿溢，天秤就向相反方向傾側，如是者不斷重複。

　　我們也可以自製雨量計。將一個漏斗放入一個塑膠汽水瓶內，下雨後把雨水倒進量筒內計算體積，然後將體積除以漏斗的面積，就是雨水的高度，亦即雨量。我們也可預先量度不同體積，並把對應的雨量刻在汽水瓶上，那就不用每次計算。

雨量計需要放置在平坦的地方，四周不能有樹、大廈等，以免雨水被遮擋而影響讀數。此外雨量計也要離地面一定高度，附近也不能有牆壁等，以免雨水被反彈入雨量計內，同樣影響讀數。

我們有時會聽到中國內地氣象部門預測有「小雨」、「中雨」、「大雨」等，其實是根據以下的標準界定。

雨量術語	24 小時雨量（毫米）
小雨	10.0 以下
中雨	10.0-24.9
大雨	25.0-49.9
暴雨	50.0-99.9
大暴雨	100.0-249.9
特大暴雨	250.0 或以上

資料來源：中國氣象局

香港天文台並沒有上述的分類，但有時會在天氣報告中提及「雨勢有時頗大」或「間中有大雨」，指的是 24 小時雨量可能超過 25 毫米。

SATURDAY 25°C

第六章

天氣應用
與研究

天氣數據的應用

　　香港人每天從不同渠道得知氣溫、濕度這些天氣數據，大多都不會理會，或者稍作穿衣多少的參考。然而天氣數據的用途還有很多。

　　航空及旅遊方面，準確的天氣預報能夠使飛機節省燃油，更快到達目的地。飛機大部分時間在對流層頂飛行，該高度經常吹起強烈的西風，如果天氣預報能準確預測最大風（即西風急流）的位置，由西向東飛行的飛機就可以借助急流節省燃油及縮短飛行時間；相反由東向西飛行的飛機就可以避開急流。計劃到外地旅遊的朋友，出發前了解當地天氣變化，對計劃及更改行程尤其重要。

　　航海及漁業方面，準確的天氣預報能夠讓船隻趨吉避凶，免受惡劣天氣的威脅。不論是幾公里大小的雷暴及冰雹，還是過千公里的溫帶氣旋，都會對船隻（特別是小型船隻）造成危險。漁船出海作業前，除了要知道海水溫度及水流，也要了解航程及作業地點會否出現惡劣天氣才可出發。

　　零售及廣告方面，有些產品銷量會受天氣變化影響，例如羽絨、雪糕等。假如預測天氣轉冷，羽絨零售店就可能要提早進貨；假如預測天氣酷熱，除了增加雪糕存貨外，市場推廣部亦可考慮增加電視廣告以助銷量。相反如天氣欠佳，電視廣告就可以減少，有效節省成本。

戶外工程及活動方面，如能及早了解下雨或颱風接近，承建商或主辦組織便能及早做好預防措施，安排停工、活動延期或改為室內地方進行。假如工程及活動在高風險的月份（例如雨季及風季）進行，更可參考以往的氣候數據，決定是否購買保險以減少可能出現的損失。

　　隨著天氣數據的應用增加，保險公司及期貨市場亦推出天氣相關的保險及期貨產品。投資者必須認識及了解天氣變化，才能加強對自己的保障，甚至獲利。

疫情對天氣預報準確性的影響

    2020 年初，新冠肺炎席捲全球，各國都受到影響。為減少病毒由國外傳入的機會，各國都採取封鎖關口的措施，禁止海陸空交通往來，人的流動減至最少。

    天氣預報需要大量的觀測資料輸入電腦模式進行運算，包括地面及高空觀測、衛星及雷達的遙感數據，以及飛機及船隻提供的資料。飛機從一個地方飛往另一個地方期間，會將對流層頂部（大約 10 至 12 公里高度）的天氣數據，包括氣溫、風向、風速等下傳至地面，經過資料交換及同化，然後輸入電腦模式運算。新冠肺炎令航班數量大為減少，飛機觀測數據亦大幅減少。統計顯示，從 3 月開始，全球飛機觀測數據每日都在下降。世界氣象組織表示，全球整體飛機數據較正常下跌了 75 至 80%，南半球更下跌了 90%。

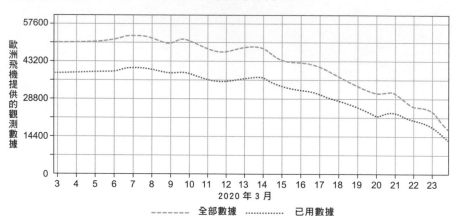

2020 年 3 月歐洲飛機提供的觀測數據用作天氣預報的數據
（數據來源：歐洲中期天氣預報中心）

從事數值預報的專家曾經做過模擬測試，假如將飛機觀測數據剔除進行天氣預報，大氣高層的天氣預報準確率將降低大約 10%。由於大氣是三維結構，高空天氣亦會影響地面天氣，高空天氣預報準確率降低亦可能影響地面天氣預報準確率，不過這方面的影響仍有待評估。

另一方面，雖然現時很多國家的地面天氣觀測都已自動化，但在非洲及南美洲的發展中國家，氣象觀測仍然依賴人手進行。疫情令氣象機構的員工無法上班，進行天氣觀測及天氣儀器維修的工作，同樣會影響地面數據的質與量。海洋觀測方面，雖然天氣觀測亦已自動化，但世界氣象組織表示，由自願觀測船隻（voluntary observing ship）提供的觀測資料亦減少了 20%。

不過，隨著科技進步，利用衛星及雷達的遙感數據進行天氣預報的技術亦不斷發展，疫情下雖然觀測數據減少，數值天氣預報仍然有一定的參考性。

聯合國颱風委員會

　　聯合國颱風委員會（Typhoon Committee）是亞洲及太平洋經濟社會委員會（Economic and Social Commission for Asia and the Pacific, ESCAP）及世界氣象組織（World Meteorological Organization, WMO）轄下的一個政府間組織，目前成員有 14 個，包括香港、澳門、中國、北韓、南韓、日本、菲律賓、越南、柬埔寨、老撾、泰國、馬來西亞、新加坡及美國。

　　委員會主要目標是透過研究、技術交流及培訓，減少成員因颱風及相關災害所引致的人命、經濟及社會損失。委會員於 1968 年成立，有接近 50 年歷史，也是世界各地其他熱帶氣旋跨政府組織中，歷史最悠久的一個。

　　委員會內有多個工作組，包括「氣象工作組」、「水文工作組」及「減災工作組」。此外亦有「諮詢工作組」及「培訓及研究工作組」，這兩個工作組的主席長期由香港天文台擔任。

　　委員會設有秘書處，最初設立在菲律賓，2007 年搬到澳門。秘書處主要負責統籌各項研究、培訓及會議，並與成員間保持緊密聯繫。委員會每年有兩次重要會議，分別是 2 月的年會及 10 月的綜合工作坊。

　　筆者在 2015 年加入委員會擔任氣象專家，負責氣象工作組的工作，包括跟進每年進行的十多個項目。跳出香港，放眼世界，部分發展中國家的颱風監測及預報能力非常有限，幸好有其他成員的慷慨付出及協助，技術才能得以提升，減少人命傷亡及經濟損失。另一方面，已發展國家則在氣象競賽中不遺餘力，透過不斷研究和嘗試，在颱風監測及預報方面更上一層樓，並與其他成員分享成果。雖然香港天文台的表現經常受到市民批評，但在亞洲區內表現名列前茅，而且在委員會內作出不少貢獻。

2015 年 11 月颱風委員會於老撾首都萬象舉行巡迴研討會，於湄公河拍攝之日落。

亞洲區內的氣象合作

　　颱風委員會的成員來自亞洲區內國家和地區，筆者加入委員會後，有機會認識從事氣象、水文和減災的政府官員和學者，彼此交換心得，特別是了解氣象預報和研究在各成員中發展的情況。

　　氣象工作組是委員會內最活躍的工作組，每年進行的項目有十多個，可以歸類為 Perennial Operating Plan（POP）、Annual Operating Plan（AOP）及 Preliminary Project（PP）三類。POP 是長期項目，例如韓國氣象廳的季度颱風預報及颱風業務運作系統，以及中國氣象局上海颱風研究所的颱風預報驗證及颱風研究期刊[1]。部分發展中成員氣象技術不高，透過項目交流可以提升他們的預報及減災能力。去年韓國氣象廳便與菲律賓氣象局合作，將颱風業務運作系統安裝於菲律賓氣象局內，並對預報員進行培訓。

　　AOP 是一般項目，例如日本氣象廳的颱風集合預報、風暴潮預報及區域雷達網絡發展計劃。區域雷達網絡發展計劃是氣象工作組其中一個最受歡迎的項目，日本氣象廳對有興趣的成員提供技術指導，例如如何將不同雷達的數據整合，並進行定量降雨評估（Quantitative Precipitation Estimate, QPE）。目前參與的成員有泰國及馬來西亞，而越南、菲律賓及老撾亦表示有興趣參與。

　　近年熱帶氣旋路徑預報的準確性不斷上升，但強度預報表現仍然表現一般。因此委員會在 2014 年通過一個由區內成員合作的 AOP 項目：沿岸颱風強度實驗計劃（Experiment on Typhoon Intensity Change in Coastal Area, EXOTICCA）。當颱風接近沿岸地區時，參與計劃的成員將加強氣象觀測及交換數據，並派出飛機或發射火箭到中心附近量度天氣變化，以評估颱風的強度和改善預報。現時參與的成員包括中國氣象局和香港天文台。

　　最後，PP 是試驗項目。例如香港天文台動議的颱風分析及預報討論平台，對象是預報員，希望能在颱風接近時提供強度及路徑分析等實時資訊並彼此交流，有助預報員提早作出更準確的預報。

參考資料

1　Tropical Cyclone Research and Review: http://tcrr.typhoon.org.cn

世界氣象組織
南京區域培訓中心

　　世界氣象組織（World Meteorological Organization, WMO）是一個政府間組織，於 1950 年成立，現時有 191 個成員，香港也是成員之一。每年世界氣象組織都會為成員提供培訓，而世界氣象組織南京區域培訓中心（WMO Regional Training Center Nanjing）位於南京信息工程大學內，前身為南京氣象學院。

　　南京氣象學院是很多內地氣象工作者的搖籃，香港天文台亦曾派員工到南京氣象學院受訓。筆者於 2015 年 12 月以颱風委員會氣象專家身份，出席培訓中心舉辦的 International Training Workshop on Tropical Cyclone Forecasting and Warning，為期一星期。

　　工作坊的講師除了來自南京信息工程大學外，亦包括美國和日本的專家，以及世界氣象組織代表。而參加工作坊的主要是預報員，來自中國不同省份，也有北韓、南韓、菲律賓、越南、老撾及泰國代表，超過 30 人，部分相當年輕。工作坊內容涵蓋了熱帶氣旋的基本理論及最新研究結果。

　　晚宴期間筆者有機會與內地著名大氣科學家及中國工程院院士陳聯壽共桌。陳聯壽出生於 1934 年，在內地或國際氣象界享負盛名，並有不少關於颱風的著作（例如《西太平洋颱風概論》）。他曾出任多個國際氣象組織，包括颱風委員會研究專家組成員，與前香港天文台台長岑柏合作，推動國際氣象研究發展。雖然他已年屆八十多，仍未退休。

除了世界氣象組織舉辦的工作坊外，颱風委員會每年都設有不同的研究獎學金（research fellowship）供成員提名參與。主辦機構包括香港天文台、上海颱風研究所、日本氣象廳及韓國氣象廳，提供關於颱風的短期研究或培訓，並由颱風委員會負責統籌。此外，委員會亦會針對颱風或相關影響的題目，每年在不同國家舉辦巡迴研討會，邀請專家擔任講師。這些活動都是由颱風委員會培訓及研究工作組策劃，現時主席由香港天文台擔任。

世界氣象組織南京區域培訓中心

熱帶氣旋名字的更換

　　每年香港天文台都會公佈更換熱帶氣旋名字，到底名字如何決定的呢？

　　2000 年以前，西太平洋及南中國海的熱帶氣旋名字由美國提供，主要為人名。後來聯合國颱風委員會通過決議，由 2000 年開始，西太平洋及南中國海的熱帶氣旋名字由聯合國颱風委員會 14 個成員共同提供，並放寬只限人名的要求。每個成員提供 10 個名字共140 個，分為 5 組輪流使用。

　　成員可以透過內部或以公開形式徵求名字，例如香港天文台曾於2005 年舉辦「熱帶氣旋命名比賽」，讓市民參與。名字以英文為準，並有以下原則：

1. 名字不能多於 9 個字母；
2. 在電台及電視台廣播時容易發音；
3. 在各成員使用的語言內沒有負面含義；
4. 不對任何成員構成困難；
5. 不能為商業品牌名字。

假如熱帶氣旋造成嚴重人命傷亡或經濟損失，受影響的成員可在一年內提出更換名字的要求，而提供原來名字的成員需要重新提交 3 個新名字，於颱風委員會年會內討論。討論時以順序進行表決，如第一個名字獲接納，其他名字將不作考慮；如被否決，將考慮下一個名字。新名字通過後，再由中國、香港及澳門共同商議中文譯名，然後通知台灣（台灣不是聯合國成員）。如未有反對便對外公佈。

為推廣氣象普及教育，中國及香港均曾舉辦「熱帶氣旋命名比賽」，由公眾建議熱帶氣旋名字。例如 2005 年香港天文台選出由市民建議的「太極」（TAICHI）及「木棉」（KAPOK），但由於兩者的英文與軍人名字及性器官有關，結果在會議上不被接納。

這就是每年風季開始前，我們常常聽到有新熱帶氣旋名字的原因。名字列表及發音可參看颱風委員會網頁：http://www.typhooncommittee.org/list-of-names-for-tropical-cyclones/。

哪個國家或地區的熱帶氣旋路徑預報最準確？

　　西太平洋是全球熱帶氣旋最活躍的地區，由於不少國家及地區均會受影響，因此除了香港天文台外，其他官方氣象機構都會發出熱帶氣旋預報。

　　每年聯合國颱風委員會都會委託上海颱風研究所對區內成員的熱帶氣旋預報進行驗證，參與的成員包括 CMA（中國氣象局）、HKO（香港天文台）、JMA（日本氣象廳）、JTWC（美國聯合颱風警報中心）及 KMA（韓國氣象廳）。由於 JMA 屬於區域專業氣象中心（Regional Specialized Meteorological Centre, RSMC），因此驗證以 JMA 的最佳路徑及強度資料為準。

　　隨著數值預報技術的提升，近年官方熱帶氣旋路徑預報表現不斷改善（強度除外），誤差呈長期下降趨勢。但由於每年的大氣情況並不相同，遇上大氣環境較複雜的年份，整體誤差仍會較大，因此我們不應只以誤差大小來判斷年與年之間的表現。

機構	預報長度	2015	2016	2017	2018	2019
中國氣象局	24h	65	69	80	77	92
	48h	115	132	140	129	156
	72h	170	225	226	178	238
香港天文台	24h	69	64	83	72	88
	48h	120	127	139	123	151
	72h	177	231	217	189	222
日本氣象廳	24h	67	74	82	66	91
	48h	113	140	138	113	142
	72h	163	246	222	185	202
美國聯合颱風 警報中心	24h	72	76	87	68	89
	48h	113	138	148	114	148
	72h	170	229	238	178	222
韓國氣象廳	24h	78	82	97	92	107
	48h	126	136	162	137	174
	72h	176	227	261	188	243

2015 － 2019 年主要官方預報機構的 24 － 72 小時熱帶氣旋路徑預報誤差（公里）
（資料來源：UNESCAP/WMO Typhoon Committee）

　　數值模式預報方面，主流模式包括 ECMWF（歐洲中期天氣預報中心）、NCEP（美國環境預測中心）、UKMO（英國氣象局）、JMA（日本氣象廳）及 KMA（韓國氣象廳）。同樣，由於每年的大氣情況不一樣，誤差亦會不同。讀者可能發現數值預報的誤差較官方預報為小，不過由於數值預報需要數小時計算才得出結果，有效時間較官方預報為短，因此兩者表現不能直接比較。我們期待日後電腦運算速度進一步提升，數值預報的威力才能進一步發揮及被官方機構應用。

預報模式	預報長度	2015	2016	2017	2018	2019
ECMWF-IFS	24h	56	56	69	59	75
	48h	93	105	109	102	128
	72h	146	181	204	153	188
NCEP-GFS	24h	67	56	76	71	80
	48h	119	114	126	112	145
	72h	177	191	194	214	223
UKMO-MetUM	24h	70	74	72	68	87
	48h	115	134	112	107	149
	72h	158	224	184	175	217
JMA-GSM	24h	80	76	79	69	95
	48h	133	156	141	119	160
	72h	209	274	235	211	233
KMA-GDAPS	24h	84	—	79	70	100
	48h	139	—	125	119	181
	72h	207	—	208	188	260

2015 至 2019 年主要數值預報模式的 24 至 72 小時熱帶氣旋路徑預報誤差（公里）
（資料來源：UNESCAP/WMO Typhoon Committee）

近年熱帶氣旋 24 小時路徑預報誤差均少於 100 公里，跟 10 年前相比已明顯進步，不過近年有回升的趨勢，原因有待研究。由於熱帶氣旋長時間在海面，但海面觀測數據卻不足，間接影響預報表現。氣象專家希望將 24 小時路徑預報誤差降至 50 公里或以下，不過能否成功仍是未知數。

另外，香港面積不大，假如熱帶氣旋路徑稍有偏差，香港的天氣可能截然不同，例如預料有狂風驟雨變為只是多雲，預料吹烈風變為吹強風。特別是從東面靠近的熱帶氣旋，只要路徑稍為偏北，就會提早在香港以東的海岸登陸並減弱，這點我們要留意。

熱帶氣旋預報表現亦受季節影響。夏季太平洋副熱帶高壓脊較為穩定，熱帶氣旋路徑的變化會比較小。秋季開始，由於北方不時有冷空氣南下，令副熱帶高壓脊減弱、斷裂，甚至向東撤退，引導熱帶氣旋的氣流就會變得不明顯，令熱帶氣旋移動緩慢、不規則，甚至原地扎轉。

影響為本的預報

　　我們日常接觸的天氣預報，包括氣溫、風速、雨量等的預報值。每個人對這些數字的理解都不一樣，當惡劣天氣出現時，不同理解會引致不同的應變措施，措施不足會引致人命傷亡及經濟損失。官方氣象機構如何令信息更有效傳遞給政府部門及公眾，達致防災及減災的目的？

　　世界氣象組織近年提倡「影響為本的預報」（impact-based forecast）。官方氣象機構除了提供氣象參數的預報值外，亦同時預報帶來的影響。例如預測未來 24 小時雨量有 100 毫米的同時，會預測低窪地區是否會出現水浸、河流滿溢、山區發生山泥傾瀉等。政府部門及公眾接收到這些信息，可及早作出準備，例如封閉道路、學校停課等，減低風險及損失，比單一預報雨量更有效。

　　每個國家或地區受天氣影響的情況都不相同，在發出「影響為本的預報」前，官方氣象機構必須充分掌握天氣對當地的影響，然後與政府部門緊密合作及交換數據，了解地形、道路情況、河流水位等資料，才能發出「影響為本的預報」，這對發達國家或發展中國家都是一個挑戰。

除了「影響為本的預報」外，世界氣象組織亦提倡「風險為本的警報」（risk-based warning），就是利用影響為本的預報，再加上影響發生的可能性組成，可以更具體評估風險。例如在英國，官方氣象機構在預報影響時，會同時預報影響出現的機會，組成「風險矩陣」（risk matrix）：

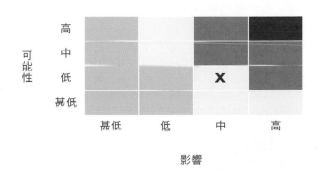

紅色表示風險極高，必須採取行動；橙色表示風險頗高，需要準備；黃色表示風險一般，但要繼續留意；綠色表示風險頗低，不會造成影響。政府部門透過風險矩陣，可以清楚了解將會出現的風險，從而作出適當預防措施。

減災與公眾教育

　　西太平洋及南中國海是全球熱帶氣旋出現最多的地區，部分國家（特別是發展中國家）無論在預報技術或在減災應變方面都有待改進，這也是聯合國颱風委員會成立的目的。

　　即使在發達國家，預報技術及減災應變已有一定水平，如何對公眾進行教育也是一個挑戰。舉例在香港，颱風吹襲被視為額外假期，不少市民外出，甚至到岸邊觀浪追風，相當危險。一旦發生意外，對他們及拯救者都會構成危險。

　　颱風委員會在 2017 年 5 月於南韓舉行第 12 屆減災工作組會議，其中一個議題是公眾意識及教育（Public Awareness and Public Education, PAPE）。預報和減災都是政府的工作，理想情況下應由不同部門進行，部門之間保持緊密聯繫，不斷更新情況。不過最重要還是得到公眾配合，才能有理想的效果。提高公眾對災害的意識及教育，對減災工作幫助很大。

　　近年社交媒體逐漸普及（即使在發展中國家），預報及減災部門可以透過社交媒體發放信息及進行公眾教育，並且了解公眾需要，效果會比單向為佳。在災害發生前，預早將可能出現的影響告訴市民，提醒他們要注意的事項，以及尋求協助的方法；在災害發生時，及時更新最新情況，提供避難指示，並與有需要協助的人士保持聯絡（美

國曾有類似的例子）；在災害發生後，向公眾了解災情，更新救災進度，甚至提供平台予公眾尋找親人。

　　不過，在預報及減災部門工作的一般是科學家，無論學識、思維及語言都與公眾有距離，如何有效傳遞信息是一門學問。在發放信息時必須注意內容及表達方式，避免使用抽象或高深的詞語，多貼近社會需要，並與公眾溝通，以免給公眾一個「離地」的感覺，否則效果會大打折扣，甚至影響形象。

公民氣象科學的發展

　　科學研究一般需要專業的知識，以及相關的工作經驗，市民通常無法參與。不過近年隨著互聯網及流動通訊科技發展，公民科學興起，改變了這個局面。

　　所謂公民科學，就是一般市民，不論年齡、性別及教育程度，只要對某個項目有興趣，就可以與該領域的專家合作，提供數據或觀測資料，共同合作進行有系統的分析及研究。由於公民數目眾多，提供的數據或觀測數量相當可觀。舉例，不同地區的市民可以利用手提電話記錄候鳥的種類、出現的地點及時間，與科學家研究候鳥的數目變化、遷徙路徑等。這些數據科學家無法自行獲得，如果公民能夠參與，就能達到雙贏的局面。

　　一直以來，公民科學的領域多限於生態、環境及保育方面。不過近年公民氣象科學亦開始出現。現時很多手提電話都內置氣壓傳感器，用來幫助手機定位。而氣壓數據在天氣預報中亦相當重要。地面觀測站的海平面氣壓會用來輸入電腦預報模式運算，預測未來天氣。但觀測站的數目有限，不能提供數據預測尺度較小的天氣系統（例如雷暴、龍捲風等），假如每個手提電話使用者都將電話量度到的氣壓數據上載至研究平台，經過數據處理及同化，便能提取有用的數據進行天氣預報。美國已有不少手提電話氣壓數據應用研究，證明能夠提高天氣預報的準確度。

除此之外，空氣質素監測也是一個公民可以參與的項目。空氣污染對人的健康有短期及長期的影響，例如導致鼻敏感或哮喘的人士病情惡化、增加心肺功能較差人士的入院率，而長期更可能導致癌症及死亡率上升。透過教育，公眾明白空氣質素監測的重要性，在空氣質素轉差時及早作出預防。台灣近年推行了「空氣盒子」計劃，得到各地官方及民間的充分合作，在全台安裝了超過 8,000 部小型空氣質素監測儀，有效監測空氣質素變化的過程、是人為還是天然、影響地區及程度等。學校亦會根據校園的空氣質素調整上課及活動安排，是一個相當成功的公民氣象科學研究。

如何參與公民氣象活動

　　近年公民科學興起，即使不是專家亦可參與研究及活動，在專家的指導下，有系統地記錄資料、收集數據或觀測資料，然後與專家一起分析並得出結論。那麼，公民應該如何參與呢？

　　舉例，雖然香港不是位於地震帶，但鄰近地區發生大地震，或香港附近發生小地震時，香港會感受到震動，我們稱為有感地震（可參考第二章〈香港有感地震統計〉）。以前當市民感受到地震後，會致電天文台報告情況，例如門窗震動、懸掛的物件擺動等。天文台的地震專家會根據市民描述的情況，再參考地震數據，然後訂定地震的烈度屬於「修訂麥加利地震烈度表」哪一度。2012 年開始，天文台設立網上表格，方便市民直接填寫，收到的報告亦較以前多。例如 2020 年 1 月 5 日珠江口發生地震，天文台就收到超過 1,200 位市民的報告。這就是公民參與的例子。

　　當我們仰望天空，看到不同的天氣現象時，無論是漂亮的卷雲或彩虹，還是可怕的閃電，甚至水龍捲，我們都可以用手提電話將情景記錄為相片或片段，然後上載至社交平台與氣象專家及公眾分享，這是公民氣象活動的一種。世界氣象組織的「國際雲圖」網站就收集了來自世界各地人士提供的相片，根據雲的形態把相片分類，除了常見的 10 種雲外，亦有一些比較少見，甚至是新的雲種，香港拍攝的作品亦包括在「國際雲圖」內。組織近年更舉辦攝影比賽，選出得獎作品並製成年曆，任何人士都可以參與，去年收到的作品更超過 1,100

幅，並設有公眾投票。

　　近年在手提電話上使用或作家居擺放的氣象產品愈來愈多，市民購買這些儀器就可以量度氣象數據，並自動上載至數據平台建成資料庫。民間氣象組織香港地下天文台就曾經利用市民於熱帶氣旋吹襲香港期間量度的風速數據繪製成風速分佈地圖，了解熱帶氣旋對香港的影響。喜歡組裝電子零件的朋友可以加入全球閃電定位網絡，訂購零件並自行組裝。近年亦有學者利用為期超過一年，由超過 1,000 名市民提供的氣溫數據來研究城市熱島效應並發表研究報告。

延伸閱讀

1　世界氣象組織「國際雲圖」：http://cloudatlas.wmo.int/
2　全球閃電定位網絡：http://en.blitzortung.org/live_lightning_maps.php
3　Crowdsourcing air temperature from citizen weather stations for urban climate research：http://www.researchgate.net/publication/313358643_Crowdsourcing_air_temperature_from_citizen_weather_stations_for_urban_climate_research

作者： 方志剛

總編輯： 葉海旋

編輯： 李小媚

書籍設計： TakeEverythingEasy Design Studio

內文相片： 123rf.com（P.57,149）

其他未有說明來源的照片為作者拍攝

出版： 花千樹出版有限公司

地址： 九龍深水埗元州街 290-296 號 1104 室

電郵： info@arcadiapress.com.hk

網址： www.arcadiapress.com.hk

印刷： 美雅印刷製本有限公司

初版： 2017 年 7 月

增訂版： 2020 年 7 月

ISBN： 978-988-8484-74-4